# LES
# COLOMBES
## DU
# *Roi-Soleil*

© Flammarion, 2011
© Éditions Flammarion pour la présente édition, 2014
87, quai Panhard-et-Levassor – 75645 Paris Cedex 13
ISBN : 978-2-0813-0861-9

ANNE-MARIE DESPLAT-DUC

# LES COLOMBES DU *Roi-Soleil*

Adélaïde et le Prince noir

Flammarion

Première Partie

# DE L'ASSINIE À PARIS

# CHAPITRE

# 1

En Assinie[1], la saison des pluies venait de se terminer.

J'avais entendu le premier esclave du roi dire que les récoltes de riz, de blé de Turquie et de millet seraient abondantes. De ce fait, les moissonneurs qui allaient recevoir le tiers de la moisson seraient contents et le roi, propriétaire de toutes les terres, pourrait échanger ses grains avec le peuple des montagnes, les Compas.

Ainsi est la tradition chez les Essouma. Zéna, notre roi, ne mange jamais de son grain, sinon sa terre deviendrait stérile. Il doit toujours l'échanger

---

1. Pour tout ce qui concerne l'Assinie, je me suis inspirée de *Relation du voyage du royaume d'Issigny* de Godefroy Loyer publié en 1714.

contre celui qui est cultivé sur un autre sol que le sien. Grâce à cette pratique, jamais nous n'avons eu à nous plaindre de la famine.

Je ne suis pas du même sang que les Essouma.

Je suis un Étiolé et cette terre est la nôtre.

Il y a des lunes, mon père, le roi Zerta, un homme bon et généreux, a hébergé les Essouma expulsés de leur pays par les guerres. Mon père n'était pas ambitieux. Il se satisfaisait de la chasse, de la pêche, de la cueillette des fruits et des herbes. Il laissa donc aux Essouma le soin de commercer avec les Européens. Ils y acquirent puissance et richesse.

Alors qu'ils auraient dû nous être reconnaissants de les avoir sauvés de la misère en leur offrant l'asile, ils s'emparèrent du pouvoir, mirent l'un des leurs, Zéna, sur le trône, assassinèrent mon père et chassèrent Ba, ma mère, qu'à ce jour je n'ai toujours pas revue.

Comme je n'étais pas appelé à régner, Zéna me laissa la vie sauve.

En Assinie, l'héritier du roi est toujours un proche parent par lui désigné à l'exclusion de ses enfants. C'est une coutume tout à fait honorable. Ainsi, les enfants de roi ne sont pas orgueilleux, car ils savent que leurs privilèges cesseront au décès de leur père.

J'ai appris depuis qu'il n'en était pas de même dans les pays d'Europe où les fils succèdent toujours à leur père, même s'ils sont fourbes, malades, incapables, ou ont encore l'âge de téter le sein de leur mère. Cela me semble inconcevable !

Ce triste événement se produisit l'année de mes six ans. Et si ma mère m'a manqué, je n'ai point été malheureux. J'ai été élevé avec les enfants que le roi a eus avec ses quatre épouses et j'ai même eu la chance que son épouse préférée qui n'avait point de fils reporte sur moi son affection. Malgré tout, Zéna est l'assassin de mon père. Il a fait le malheur de ma famille et de mon peuple, et je ne l'oublie pas.

Le roi Zéna avait donné naissance à de nombreuses filles, à qui leurs mères apprenaient à piler le millet, à faire la cuisine, à balayer la case, à fabriquer l'huile de palme qui sert à s'enduire le corps et les cheveux. Elles vivent dans la case des femmes. Mais il n'avait qu'un garçon, Banga, fils de sa deuxième épouse. Nous étions du même âge et on nous enseignait ensemble l'art de la chasse, de la pêche et aussi celui de la guerre.

C'est lors d'une chasse en forêt que mon amitié avec Banga est née.

Yamoké, le frère du roi, ne m'aimait pas. Sans doute craignait-il que Zéna ne me désigne comme son successeur. Il en avait le droit puisque je n'étais que son fils adoptif. Yamoké ne manquait pas une occasion pour m'humilier.

Depuis plusieurs semaines, un tigre semait la terreur dans notre village. La nuit, il venait rôder autour de nos cases et les feux que les veilleurs maintenaient allumés ne l'effrayaient pas.

Il avait donc été décidé que nos meilleurs chasseurs partiraient à sa poursuite.

Notre roi consulta le devin afin qu'il détermine le jour le plus propice pour cette chasse. L'ofron[1] réunit le village autour de notre arbre fétiche, il agita ses fétiches fixées à des tresses de bambou et les fit tournoyer. Nous appelâmes la victoire en chantant : *Aiguioumé mamé maro, mamé orie, mamé chiké é occori, mamé alaka, mamé brembi, mamé anouan é aoufan*[2].

Puis l'ofron annonça que le dixième jour après la lune nouvelle serait le bon.

Yamoké choisit ceux qui s'adonneraient à cette chasse. Non sans malice, il me nomma chef de cette expédition. Il désigna ensuite trois guerriers accompagnés d'une dizaine d'esclaves, puis Banga.

L'année précédente, Banga et moi avions participé avec succès à la cérémonie d'initiation qui annonçait notre passage à l'âge adulte. J'avais

1. Sorte de prêtre élu par les habitants du village. Il est nourri et entretenu par eux. Rien ne se fait sans son avis.
2. « Dieu, donne-moi du riz et des ignames, donne-moi de l'or, donne-moi des esclaves et des richesses, donne-moi la force et la vie. »

plongé vaillamment du haut de la falaise dans la rivière, les pieds attachés par une liane, et sous les eaux, j'avais réussi à me détacher pour nager jusqu'à la rive sous les cris d'encouragement de tout le village. Banga et deux autres garçons s'étaient brillamment tirés de la même situation. À dire vrai, il s'agissait de dominer sa peur, car les liens étaient peu serrés et, quoique le courant soit fort, aucun Essouma n'est mort dans cette épreuve bien préparée.

C'est lors de cette journée mémorable que nous adoptons notre fétiche. J'avais longuement réfléchi à la mienne[1]. J'avais fabriqué une statuette en bois que j'avais ornée de dents de tigre. Et, afin qu'elle accepte de me protéger ma vie durant, je lui avais fait le vœu de ne jamais boire d'alcool.

Le jour convenu pour la chasse au tigre, nous affûtâmes nos sagaies et nos sabres, et après avoir prié chacun pour obtenir la protection de notre fétiche, nous nous enfonçâmes dans la forêt au déclin du soleil. C'est la nuit que le seigneur de la jungle sort de sa tanière.

Des éclaireurs avaient repéré quelques heures plus tôt des traces de son passage. Je formai des groupes de trois et je choisis avec Banga un emplacement

1. Le mot « fétiche » était féminin.

stratégique. Je voulais prouver à Yamoké que, malgré mon jeune âge, j'étais courageux et que je serais un excellent roi. Nous nous mîmes à l'affût : l'œil balayant tantôt le sol et les fourrés épais, tantôt les branches des arbres où le tigre grimpe pour surprendre plus aisément ses proies.

Nous attendîmes de longues heures dans le silence.

Mais plus le temps passait, plus j'étais persuadé que notre tigre ne se montrerait pas. Il était inutile de l'attendre plus longtemps. L'immobilité me pesait, et le sommeil commençait à me gagner. D'ailleurs les deux esclaves s'étaient assoupis à même le sol, leur sagaie à la main.

— Il ne viendra pas, soufflai-je à Banga, j'ai des fourmis dans les pieds. Rentrons !

— Tu ne te conduis pas comme un valeureux guerrier !

Sa réplique me piqua et, sans piper mot, je le plantai là pour reprendre le chemin du village.

J'étais un valeureux guerrier... et même plus que les autres, car j'avais du sang étiolé dans les veines. Mon père m'avait souvent répété que les Étiolé étaient plus forts et courageux que les Essouma. Pour l'heure c'étaient eux les vainqueurs, mais un jour je vengerais mes parents et mon peuple, et c'est moi qui règnerais sur les Essouma et les Étiolé réunis.

Mais c'était mon secret et il était important que personne ne se doute de la sourde révolte qui grondait en moi.

Je ne craignais pas de me perdre, je connaissais fort bien ce bout de forêt.

J'avançais donc d'un pas décidé, me courbant parfois pour passer sous des lianes, sautant les troncs morts barrant le chemin, frappant de ma machette les branches qui me frôlaient le visage, m'arrêtant pour observer le réveil des singes qui jouaient dans les hautes branches, puis m'agenouillant pour suivre la longue procession des fourmis bâtisseuses.

Soudain, un poids énorme me tomba sur les épaules. Je poussai un cri et m'affalai sur le sol. Je savais : c'était le serpent mangeur d'homme. Il commença à s'enrouler autour de ma taille, sa tête à hauteur de la mienne. Petit à petit, il allait m'étouffer, ouvrir sa gueule aussi grande que possible et engloutir ma tête, puis mon buste pour finir par m'avaler entièrement. Je me souvenais avoir entendu un ancien conter que son frère avait disparu à l'âge de six ans, avalé par l'un de ces gigantesques serpents. Alors, je hurlai de toutes mes forces :

— Ban... anga ! Ban... anga !

Cela ne servait à rien. La forêt était immense et si touffue.

Brusquement, il fut là, son sabre à la main. C'était tellement incroyable qu'un rire nerveux me secoua. Surpris, le serpent resserra son étreinte. Ne pouvant presque plus respirer, je haletai :

— Vite !

Il sautilla autour de l'animal qui me tenait prisonnier et me conseilla :

— Essaie d'éloigner ta tête de la sienne, il faut que je le décapite d'un coup !

Mes oreilles bourdonnaient, le sang tapait dans mes tempes, ma vue se brouilla, mon souffle était court. Dans quelques minutes, je serais mort. Il ne devait pas attendre. Il fallait qu'il frappe, vite et bien... mais s'il manquait son coup, c'était moi qui recevrais le coup de machette ! De toute façon, j'allais mourir, soit par le serpent, soit par Banga.

Il leva son sabre. Je fermai les yeux. J'entendis le choc de la lame et je fus aspergé de sang. L'étreinte se desserra lentement, lentement. J'ouvris les yeux. Le serpent n'avait plus de tête et j'étais vivant !

Je chancelai. L'air qui s'engouffrait violemment dans mes poumons me fit tousser. J'avais un goût amer dans la bouche et un mal de crâne abominable. Le serpent s'écroula autour de moi. Je l'enjambai et, sans aucune retenue, je me jetai dans les bras de Banga, secoué de sanglots.

— J'ai bien fait de te suivre, me dit-il simplement.

Je ne pus que bredouiller :

— *Mingo mé, mingo mé*[1]...

Depuis ce jour, Banga et moi fûmes liés par une indéfectible amitié.

---

1. « Mon ami » (langue de l'Assinie).

# 2

Les hommes blancs ont débarqué sur nos côtes il y a fort longtemps. Deux siècles.

L'arrivée du premier navire fait maintenant partie des récits que les anciens aiment à conter le soir autour du feu.

« De grandes voiles blanches se profilant à l'horizon les intriguèrent, puis les inquiétèrent. Mais lorsqu'ils découvrirent ces énormes carcasses de bois qui avançaient sur l'eau, ils craignirent qu'elles ne soient conduites par des demi-dieux, envoyés par *Aiguioumé* pour les punir ou les emporter dans l'autre monde. Un mouvement de panique eut lieu. Les femmes et les enfants coururent se cacher dans la forêt tandis que les hommes prenaient leurs armes. Le devin et l'ofron demandèrent la protection des fétiches.

Fort heureusement, une barrière de sable, créant de gros rouleaux infranchissables pour celui qui ne connaît pas les passages, protège notre côte et empêcha le vaisseau de s'avancer jusqu'à la rive.

Le devin prédit que si le navire se brisait sur les vagues, c'était le signe que ses occupants étaient mauvais ; s'il résistait, c'était le signe qu'ils étaient bons. Le navire s'arrêta avant la barre dangereuse et envoya une barque pour tenter de franchir la barrière. Nos hommes furent un peu rassurés.

La première chaloupe que ce peuple mit à la mer fit *kikribou*[1] en passant la barrière, alors les nôtres, oubliant leur peur, prirent en pitié ces gens qui se noyaient et mirent leur canot à la mer pour leur porter secours. Le chef de ces navires était un explorateur portugais, nommé Soeiro da Costa. »

Celui qui fait le récit ajoute toujours pour faire sourire son auditoire :

« Les Blancs voguent sur des bâtiments gigantesques, mais ils ne savent pas nager, alors que chez nous le plus petit enfant nage comme un poisson. »

Nos anciens se plaisent à décrire le visage blafard de ces nouveaux venus, leurs yeux clairs, leurs cheveux longs et raides, affirmant que des poils leur poussent sur la poitrine et que leurs dents sont pourries.

1. Chavira.

Nous avons tous des dents blanches grâce au bois avec lequel nous les frottons régulièrement. Notre peau est saine et luisante : nous nous baignons souvent dans les rivières puis nous nous enduisons d'un mélange de charbon et d'huile de palme, et aucun poil ne garnit notre torse. Les hommes blancs affirment que l'eau est mauvaise pour la santé, aussi leurs cheveux sont-ils ternes, peu abondants, raides et sales.

Ils portent des vêtements qui leur couvrent tout le corps et les empêchent de courir, de sauter un obstacle et, sous nos climats, ils suent à grosses gouttes mais refusent de se dévêtir. Nous leur avons pourtant montré qu'une paigne[1] retenue par un lien autour des reins était pratique, mais ils ont toujours refusé de la porter, argumentant que la morale et la religion leur interdisaient d'être ainsi dévêtus. Quelle curieuse religion qui interdit à l'homme de se montrer tel que la nature l'a créé !

Parmi ces hommes blancs, certains sont venus chercher de l'ivoire, de l'or, du poivre, alors que d'autres, les religieux, vêtus de longues robes de toile brune, ne sont là que pour convertir notre peuple à la religion chrétienne. Ils prétendent que *Aiguioumé* n'existe pas et que c'est leur dieu qui est le bon.

---

1. Un pagne : pièce de tissu, d'herbe ou d'écorce.

Encore aujourd'hui, la vanité de ces étrangers nous agace.

Nous cédons volontiers les défenses d'éléphant contre des fusils, de l'alcool, des couteaux, ou des parures colorées pour les femmes. Ce qui nous intéresse c'est la savoureuse chair de l'éléphant. Un seul animal permet à un village entier de se nourrir pendant plusieurs jours.

Pourtant sa chasse n'est point aisée. Il est préférable d'attendre que l'un d'entre eux s'isole du troupeau, ou mieux qu'il prenne son bain dans la rivière, car dans l'eau, il ne peut se déplacer rapidement. Il a la peau si épaisse que nos flèches et nos sagaies se cassent dessus. Son seul point vulnérable est sa trompe. C'est l'endroit que l'on nous apprend à viser. Lorsque nous réussissons à la transpercer de plusieurs coups, l'animal meurt asphyxié. Mais il peut aussi nous charger, saisir avec sa trompe celui qui ne court pas assez vite, lui rompre les côtes, le jeter sur le sol et le piétiner.

Rapidement mon peuple apprit les mots indispensables pour commercer avec ces étrangers, et lorsque plus tard, d'autres navires accostèrent, c'est avec des mots de portugais qu'ils furent accueillis. Ils étaient pourtant hollandais ou français, mais comme ils venaient tous chercher les mêmes richesses, le peu que nous savions suffit pour les échanges.

Nous nous habituâmes à voir débarquer ces étrangers qui n'étaient point belliqueux et nous apportaient toujours de nombreux *daches*[1]. Au contraire même, chaque fois, nous célébrions leur venue par des fêtes. Les femmes portaient leur paigne la plus colorée, et selon notre coutume, elles attachaient à leur ceinture des clefs, des sachets d'herbes odorantes, et mettaient à leurs chevilles et à leurs poignets des menilles[2] de fer, d'ivoire ou de cuivre, qui tintaient joliment lorsqu'elles se déplaçaient.

Les hommes étaient invités par le roi à s'asseoir sur une natte pour fumer la pipe et boire du vin de palme. Ensuite, un copieux repas leur était servi : œufs de tortue, chair grillée de porc-épic ou gros vers de palmier, potage de pois, igname, ananas.

Parfois aussi, les femmes préparent du *cous-couse*[3]. Elles pilent le millet pour le réduire en farine, y ajoutent l'eau goutte à goutte jusqu'à ce que la farine se mette en petites pelotes pas plus grosses qu'un grain de sable. Elles laissent ces grains sécher, puis elles les mettent dans un pot percé de trous sur un autre récipient où l'on cuit

1. Cadeaux.
2. Bracelets.
3. Recette relevée dans *La Relation du voyage du royaume d'Issigny*.

la viande assaisonnée avec du poivre de Guinée et diverses épices.

C'est mon mets préféré, mais il n'est cuisiné que pour les grandes occasions. Aussi, lorsqu'une nouvelle voile se profile à l'horizon, je souhaite qu'elle nous apporte quelques personnages importants, ce qui me donnera l'occasion de déguster le *couscouse*.

Comme je suis considéré par le roi et sa quatrième épouse comme un membre de la famille royale, je participe à toutes les festivités. J'ignore pourquoi, mais Banga n'est pas aimé par notre père et il en est souvent exclu. Afin que notre amitié ne souffre pas de cette différence, je lui conte tout par le menu.

La dernière grande fête eut lieu l'année de mes quatorze ans lorsqu'un navire français de la Compagnie de Guinée, après avoir exploré la Côte des Dents[1], fit escale sur nos côtes.

J'étais sur la plage avec Banga en train de creuser le sable à la recherche d'œufs de tortue lorsque nous aperçûmes les grandes voiles blanches à l'horizon.

— Encore des acheteurs d'ivoire ! m'annonça Banga levant à peine la tête.

— Je ne crois pas. Je distingue trois navires et le plus gros a une proue richement ouvragée.

---

1. Ancien nom de la Côte d'Ivoire.

Lorsque nous revînmes vers le village, des hommes mettaient les canots à l'eau pour aller au devant des navires afin de leur souhaiter la bienvenue. Comme le veut la tradition, Banga et moi avions passé toute une année à creuser notre propre embarcation dans un tronc entier. Quelques jours plus tôt, sa mise à l'eau avait donné lieu à une cérémonie et, comme nous n'avions pas fait *kikribou,* nous avions été très applaudis.

Nous rejoignîmes les autres, et à coups de pagaie énergiques, nous traversâmes la barrière de sable dangereuse pour nous approcher du navire. Nous offrîmes aux marins de l'eau fraîche et des fruits. Après des mois de navigation, c'est ce qu'ils appréciaient le plus.

Nous apprîmes qu'ils venaient de France au nom de leur roi, Louis le quatorzième, dit Louis le Grand.

J'ignorais où se situait la France et je ne connaissais rien de ce roi.

Je poussai Banga du coude pour lui faire remarquer les longs cheveux frisés et les chapeaux brodés d'or portés par les officiers. Lorsqu'ils descendirent l'échelle de corde les conduisant dans nos canots, ils furent obligés de les maintenir d'une main pour que le vent ne les emportât pas ; ils étaient alors suspendus dans l'air comme une araignée à son fil et risquaient à chaque instant de tomber. Malgré ces précautions, le couvre chef de l'un d'eux s'envola, aussitôt suivi par ses longs cheveux. Nous découvrîmes alors qu'il était chauve. Curieux hommes vraiment.

Le sieur Ducasse dirigeait l'expédition.

Banga et moi, nous étions fiers qu'il choisisse notre embarcation pour gagner le rivage.

Mais c'était aussi une grande responsabilité.

Fort heureusement, Banga est le meilleur pilote du village et le sieur Ducasse poussa un soupir de soulagement lorsqu'il posa les pieds sur la plage. Il nous récompensa d'une tape sur la tête.

Durant tout le jour, les nôtres firent la navette entre les navires et la côte pour décharger les cales : vivres, armes, matériaux, étoffes, barils de poudre, d'alcool...

Yamoké et une foule d'esclaves portant des ombrelles colorées les attendaient sur la plage de sable blanc. Les tambours et les trompettes jouèrent pour honorer les voyageurs et les escortèrent jusqu'au fleuve.

Une douzaine d'étrangers embarqua dans un grand canot tandis que les musiciens montèrent sur une autre embarcation afin d'accompagner nos hôtes jusqu'à Assoco. Notre capitale est construite à une bonne distance de la côte sur une île au milieu de la rivière qui rend nos terres fertiles. C'est là que vit notre roi et tous les capchères[1].

---

1. Nobles d'Assinie.

J'observais M. Ducasse.

À un moment, il fit le geste de se boucher les oreilles de ses deux mains en essayant de communiquer avec son compagnon. Est-ce que dans son pays on ne goûte pas la musique ?

Lorsque nous arrivâmes en vue du palais, je guettai sa réaction.

La case de notre roi est magnifique. Elle est bâtie en roseaux entrelacés et consolidée avec de la boue peinte en rouge, en gris et en jaune à certains endroits. Elle a deux étages comportant chacun trois appartements.

Il m'aurait plu de lire l'admiration dans le regard de nos invités.

Il n'y en eut point. Au contraire, je surpris une moue moqueuse sur leurs lèvres. Leur roi possédait-il un palais plus beau que celui-ci ? J'en doutais fort.


Yamoké les guida à travers les trois cours précédant la salle d'audience, dans lesquelles une double haie de soldats armés de sabres et de fusils montrait la puissance de notre armée.

Notre roi était assis sur un vaste lit recouvert des peaux des tigres qu'il avait lui-même tués, signe de son courage. Zéna avait déniché ce meuble dans les débris d'un navire anglais échoué sur nos côtes. Il s'y installait pour impressionner ses visiteurs.

Selon la tradition, il fumait une longue pipe, portait une paigne bleue rayée de blanc et un chapeau noir bordé d'argent, orné d'une longue plume blanche. Ce couvre chef lui avait été offert par le premier Français ayant débarqué sur nos côtes. Sa barbe était séparée en de nombreuses tresses ornées de pierre d'aigris[1] du plus bel effet.

Assises derrière lui, ses deux favorites portaient tous leurs bijoux en or : colliers, bracelets et ornements de cheveux. Debout au pied du lit se tenaient six autres femmes responsables du bien-être du roi.

De chaque côté du trône deux hommes armés de sabres et de sagaies d'or.

Les capchères étaient assis sur le sol ou, pour les plus importants, sur de petits tabourets qui les isolaient de la poussière.

Dès que les Français entrèrent dans la pièce, les tambours et les trompettes retentirent.

Je me plaçai après Yamoké à la droite du roi.

La musique joua longuement afin d'honorer nos invités, ce qui sembla les agacer.

Lorsque notre roi jugea cette marque de déférence suffisante, il arrêta les musiciens d'un geste et, dans le silence revenu, il demanda à ses hôtes en langue franque[2] ce qui les amenait en Assinie.

---

1. Pierre semi-précieuse de couleur bleu-verdâtre, sans éclat.
2. Sorte de mélange de plusieurs langues européennes, dont le portugais.

— Notre roi Louis le Grand nous envoie en mission dans votre beau pays pour établir la foi chrétienne et lier un bon commerce avec la France. Afin de vous défendre de vos ennemis, nous construirons un fort face à la mer, lui répondit le sieur Ducasse.

Comme cet étranger ne parlait pas la langue franque, ses propos furent traduits par un esclave, attaché à son service.

Zéna hocha la tête. Les Portugais aussi étaient venus pour convertir notre peuple à leur religion, les Anglais et les Hollandais nous avaient parlé de la leur... Je ne comprenais pas pourquoi leur dieu serait meilleur que le nôtre. Mais Zéna était sage. Il ne voulut pas heurter les nouveaux venus. Il ne dit rien, se leva et quitta la pièce.

# CHAPITRE

# 3

Ducasse voulut visiter nos mines d'or, mais le roi s'y opposa.

Le lieu où elles sont situées est secret. On raconte même qu'elles sont défendues par des monstres à trois têtes et que celui qui révèlera leur emplacement à un Blanc sera maudit pour l'éternité.

Ducasse insista :

— Louis le Grand veut savoir si l'Assinie est un pays digne d'intérêt avant d'y faire bâtir un fort.

Zéna se montra ferme.

— Ma parole devrait suffire à convaincre votre roi. Et puis si, comme vous me l'avez assuré, votre mission est de nous faire découvrir votre dieu et de pratiquer le commerce, l'or passe au troisième plan.

Ducasse s'inclina, mais la contrariété déforma son visage.

Les Français ne restèrent point longtemps.

Ils négocièrent avec les capchères, seuls autorisés à pratiquer le commerce, l'achat d'ivoire, de gomme arabique[1], d'ambre gris[2], d'indigo[3], qu'ils payèrent avec de l'eau de vie, des couteaux, des fusils.

Ils remplirent leurs tonneaux d'eau claire, de vin de palme, de pourprier, d'eppa[4], de bananes, d'ananas, de cocos, de papayes, de patates, de millet, d'œufs de tortue, de chair de cochon sauvage séchée, de poissons.

Banga avait passé une matinée à récolter les gros vers qui logent sous l'écorce des palmiers.

— J'en ai beaucoup et ils sont bien gras, m'avait-il annoncé en ouvrant la feuille de palmier dans laquelle il les avait enfermés. En échange je vais demander un couteau. Comme celui de Yamoké. Il a une lame fine et un joli manche ouvragé.

Mais lorsque le coq[5] ouvrit l'emballage, il poussa un cri et jeta le présent par-dessus bord :

1. Elle est obtenue par saignée de l'acacia. C'est un épaississant utilisé en confiserie, en médecine, en teinturerie.
2. Concrétion intestinale du cachalot. Il est utilisé en parfumerie.
3. Colorant bleu provenant de l'indigotier.
4. Herbes bonnes à consommer en soupe.
5. Cuisinier sur un navire.

— Ah, s'était-il exclamé, voilà bien une nourriture de sauvage !

Le sens de la phrase nous avait échappé, mais Banga n'avait pas eu son couteau et les délicieux vers qui auraient fait notre régal étaient à la mer. Ces Français ne savent pas ce qui est bon !

Nous avions ramené dans nos canots tous les Français sur leur navire, sauf deux missionnaires qui restaient sur notre sol pour nous enseigner la religion catholique. Ducasse avait promis de revenir rapidement pour construire une église, un fort et un comptoir afin qu'un commerce fructueux s'établisse entre la France et notre peuple. À l'entendre, l'Assinie avait tout à gagner à s'allier avec la France.

Notre roi, flatté sans doute par les belles paroles de Ducasse et par l'alliance qu'il lui proposa avec le plus grand roi de la Terre, ordonna que l'on bâtisse une case pour les deux missionnaires et une autre dans laquelle ils pourraient célébrer leur culte.

Banga et moi nous portâmes volontaires. Par curiosité, je l'avoue.

Ces deux hommes habillés de longues robes de toile brune, suant à grosses gouttes mais refusant de se dévêtir, m'intriguaient. Je m'attendais à ce que, incommodés par la chaleur, ils nous regardent travailler sans bouger. Il n'en fut rien. Au contraire, ils se dépensèrent sans compter, mais ignorant comment assembler les pieux, serrer les roseaux et disposer les feuilles de palme sur le toit, ils n'étaient guère efficaces.

La case terminée, le roi leur fit porter, en signe de bienvenue, deux tabourets, deux nattes tressées et un chaudron.

Les deux missionnaires nous remercièrent par de nombreuses poignées de main. Ils nous expliquèrent, par des gestes, que l'on ne devait pas se soucier d'eux, qu'ils allaient adopter rapidement notre mode de vie afin d'être plus proches de nous.

Le soir venu, je leur apportai un plat de poissons préparé par les esclaves de la maison des femmes. Ils m'accueillirent fort chaleureusement et commencèrent à m'apprendre quelques mots dans leur langue : *merci, poisson, manger.* Cela me plut. Je désirais pouvoir converser avec eux afin qu'ils me parlent de leur pays.

Ils me proposèrent de m'apprendre le français et de m'enseigner la vraie religion. J'acceptai, non que je souhaite adopter leur religion, mais parce que la connaissance de leur langue me permettrait de communiquer avec les Français à leur retour.

Comme notre roi s'y était engagé, il autorisa les enfants à venir écouter les missionnaires. Ceux qui le souhaitaient pouvaient assister à l'étrange cérémonie qu'ils célébraient tous les matins et qu'ils appelaient *messe.*

Au début, la curiosité et la nouveauté attirèrent beaucoup de monde. Les missionnaires nous avaient expliqué en mêlant langue franque et notre dialecte que leur dieu était présent dans un récipient en or où ils avaient versé du vin de palme et dans un morceau de galette de millet qu'ils nommèrent *pain*. Après avoir prié et chanté, nous nous attendions à voir surgir leur dieu au milieu de l'assemblée. Mais rien de tel ne se passa. Pourtant les missionnaires ne paraissaient point déçus.

Cinq ou six jours plus tard, plus personne n'accepta de perdre du temps à attendre un dieu qui ne se montrait pas. Dans notre religion, dieu se matérialise dans un arbre, le plus beau de la forêt, et c'est lui que nous allons prier en sachant qu'il est là, dans l'arbre et dans la nature environnante.

Toutefois, Banga et moi, nous persévérâmes. Nous acceptâmes de nous agenouiller derrière eux lorsqu'ils récitaient la messe, d'agiter la clochette au moment opportun, de baisser la tête par respect pour leur dieu, de tenir le gros livre qu'ils appellent *Évangiles,* parce qu'ensuite les deux frères nous donnaient une leçon de français.

Nous avions soif d'apprendre.

Au bout d'un mois, nous commençâmes à questionner les missionnaires sur la vie en France. Leurs réponses nous fascinaient. Nous étions éblouis par les descriptions du château de Versailles, des fêtes sompteuses qui y étaient données, des fontaines d'où l'eau jaillissait jusqu'aux nuages, des feux d'artifices qui éclataient dans le ciel.

Lorsque je me retrouvais seul avec Banga, nous nous interrogions :

— Est-ce que tu crois tout ce que les missionnaires nous racontent ? lui demandais-je.

— J'ai des doutes. Je ne pense pas qu'un tel pays puisse exister en dehors du rêve.

— Mais alors, pourquoi nous content-ils tout cela ?

— Pour nous montrer que leur dieu est plus puissant que le nôtre et nous convertir.

Je ne savais que penser.


À la fin de la saison sèche, même si de nombreux mots m'échappaient encore, je comprenais à peu près le français et j'avais appris par cœur des paragraphes de ce que les missionnaires appelaient le catéchisme. Ils se réjouissaient de mes progrès, m'assurant que bientôt je serais apte à recevoir le baptême. Ils envisageaient même de me ramener dans leur pays et de m'inscrire dans un séminaire afin que je devienne prêtre à mon tour pour évangéliser l'Afrique.

La perspective de découvrir la France n'était point pour me déplaire, même si je ne comprenais pas vraiment ce que « évangéliser l'Afrique » signifiait.

Banga partageait mon enthousiasme et nous nous imaginions déjà voguant sur la mer immense à la découverte de nouveaux horizons.

Un matin, frère Joseph ne put se lever. Il brûlait de fièvre.

— Je vais dire la messe à son intention et nous allons prier très fort Marie, la sainte mère de Dieu, son fils, Jésus, et le Saint-Esprit pour sa guérison.

Les deux missionnaires avaient su se faire apprécier par tous. Ils étaient calmes, pacifistes, donnaient volontiers un coup de main pour les cultures, pour traire les chèvres et nous avaient appris la fabrication d'un fromage dont nous nous régalions. Le soir, autour du feu, tout le village se groupait pour écouter leurs histoires : des contes profanes ou sacrés.

Nous unîmes nos prières pour demander la guérison de frère Joseph et je crois bien qu'à cet instant notre ferveur nous fit tous chrétiens.

Las, sa santé ne se méliora pas.

— Ah, se plaignit-il entre deux accès de toux. Une saignée désencombrerait mes poumons et un émétique achèverait de me guérir... mais il n'y a rien de tout cela ici.

— Nous connaissons aussi des plantes qui soignent, mais pour la fièvre, la meilleure solution, c'est de se baigner dans la rivière, dis-je.

Un rictus déforma sa bouche et il murmura :

— C'est le plus sûr moyen de m'achever.

— Non, non, je vous assure. Plusieurs des nôtres ont été sauvés ainsi.

— Eh bien, mon ami, dans les pays civilisés les médecins affirment que l'eau est mauvaise pour la santé. Elle entre par tous les orifices et pourrit les organes.

J'avais bien remarqué que les deux missionnaires ne se lavaient jamais, sauf les mains. Les gens de mon peuple se baignent souvent dans la rivière et aucun de leurs organes n'a pourri. Cependant, comme frère Joseph représentait pour moi le savoir et la nouveauté, je n'osai le contredire.

Cinq jours plus tard, malgré les messes et nos prières, non seulement frère Joseph ne recouvra point ses forces, mais frère Fançois-Xavier fût frappé du même mal.

L'ofron que les missionnaires avaient tenu à l'écart sous prétexte que le dieu prié par notre peuple n'existait point revint tourner autour de leur case et brandit ses fétiches en dansant et chantant.

— Qu'il parte ! Qu'il parte ! Il fait affront à notre Seigneur Jésus-Christ ! s'écria le frère François-Xavier.

Comme je me relayais avec Banga pour veiller les deux hommes, je sortis de la case :

— Les Blancs ne veulent point de la protection de nos dieux, lui dis-je.

— Ils ont tort ! Leur dieu ne connaît pas la terre d'Afrique ! *Aiguioumé*, lui est le dieu de l'Afrique. C'est lui qu'il faut prier.

Las, aucun dieu ne sauva les deux hommes.

# CHAPITRE

# 4

La mort de ces deux missionnaires français sur notre sol causa des tracas à notre roi. Comment les enterrer ? Nous ignorions tout des cérémonies chrétiennes consistant à accompagner les morts dans l'au-delà.

Nous fîmes donc comme s'ils avaient été des nôtres.

Les femmes du village se mirent à pleurer, allant de case en case pour demander où étaient frère Joseph et frère François-Xavier. Chaque fois on leur répondait *aourou*[1], ce qui augmentait leurs pleurs. Dans la case des missionnaires, d'autres femmes s'affairaient à les préparer pour le voyage dans le

---

1. « Il n'est plus. »

centre de la Terre. Comme ils n'avaient point de fétiches pour les protéger, on choisit de peindre leur visage de la couleur de la fétiche du village, marquant ainsi pour les esprits qui les accueilleraient dans l'au-delà qu'ils appartenaient à notre communauté.

On fit confectionner rapidement deux coffres puisqu'ils n'avaient pas eu le temps de les faire fabriquer eux-mêmes comme c'est l'usage.

On les y enferma avec leur tabouret, leur pot de terre, de la nourriture et de la poussière d'or afin qu'ils puissent se nourrir et payer leur entrée dans l'autre monde.

Cependant, j'étais inquiet. En effet, si leur esprit s'évadait en direction du purgatoire ou du paradis, comment leur dieu allait-il reconnaître qu'ils étaient chrétiens ?

— Attendez ! dis-je avant que les deux coffres soient scellés par des clous.

Je déposai à côté d'eux leurs livres de prières, les croix de bois fixées au-dessus de leur couche et cette sorte de long collier de graines qu'ils appelaient chapelet.

Après quoi, quatre esclaves s'emparèrent des deux boîtes et partirent les enterrer dans la forêt. Personne ne devait connaître le lieu de leur sépulture pour qu'ils puissent en paix regagner le centre de la Terre et attendre leur réincarnation.

La vie reprit comme avant.

Banga et moi étions les seuls à regretter la mort des frères. Les autres garçons qui assistaient avec nous au catéchisme furent heureux d'échapper à cette corvée et la célébration de la messe ne manqua à personne. Le rituel était trop compliqué et le dieu des Blancs n'avait convaincu personne.

Je dois dire que ce n'est guère pour la découverte de leur religion que les missionnaires nous firent défaut, mais bien plutôt pour ce qu'ils nous contaient sur la vie en France. Ils nous avaient fait découvrir un pays féerique et il ne se passait pas un jour sans que Banga et moi évoquions le récit du mariage d'un prince, d'une fête, d'une comédie... les mots mêmes suffisaient à nous faire rêver.

Le village, à présent, nous semblait trop étroit.

Je regrettais de ne point avoir conservé l'un de leurs livres afin de continuer à m'exercer à la lecture, car je craignais d'oublier tout ce que j'avais appris avec eux.

Nous nous mîmes à guetter les navires croisant au large, en espérant en voir un se diriger vers nos côtes, mais de nombreux jours s'écoulèrent et aucune voile n'apparaissait.

Notre roi fut bientôt persuadé que les Français étaient des menteurs.

— Ce Ducasse n'a jamais sérieusement envisagé de construire un fort et de commercer avec nous, dit-il un soir aux familiers réunis dans sa case pour la veillée. Ils m'ont berné ! Je n'aurais pas dû accueillir ces missionnaires. D'ailleurs, leur mort est le signe qu'*Aiguioumé* ne voulait point de Français chez nous. Ce peuple est fourbe, sans honneur.

Cette attitude me consterna. Banga et moi avions trop rêvé de ce pays pour le détester. Cependant, afin de ne point heurter Zéna, je fis semblant de partager son opinion.

Enfin, au milieu de la saison sèche, des pêcheurs revinrent au village en annonçant :
— Navire ! Navire !
L'arrivée d'un bateau est toujours un événement. Aussi, les pirogues furent poussées à la mer, vitement chargées de provisions, et les plus hardis s'élancèrent au-devant du bâtiment avant même qu'il ne jette l'ancre devant la barrière de sable. Je me précipitai sur le rivage, impatient de connaître la nationalité des nouveaux venus. Je m'usai les yeux à observer le drapeau que le manque de vent laissait en berne. Était-il blanc avec des fleurs de lys ?
— Des Français ! Des Français ! m'exclamai-je soudain.

J'étais le seul à être aussi enthousiaste. Pour les autres, puisqu'il ne s'agissait que de commerce, il n'y avait aucune différence entre des Portugais, des Hollandais ou des Anglais.

J'appelai Banga :

— Viens vite, le sieur Ducasse est de retour ! Allons lui souhaiter la bienvenue !

— Es-tu certain qu'il soit le bienvenu sur notre sol ?

— Ducasse a sûrement une bonne raison pour n'être pas revenu plus tôt, il l'expliquera à Zéna et tout rentrera dans l'ordre. Viens, je te dis !

Banga ne demandait qu'à me suivre.

Nous arrivâmes contre l'immense coque du navire alors que beaucoup des nôtres étaient déjà à bord en train d'échanger de la nourriture contre des bracelets et des colliers aux couleurs chatoyantes.

Je dis dans un français approximatif à un soldat présent sur le pont :

— Je suis Aniaba, ami du sieur Ducasse. Conduis-moi à lui.

Étonné d'entendre sa langue, le soldat me toisa et m'annonça :

— Le sieur Ducasse n'est point à bord. C'est le chevalier d'Amon qui dirige cette expédition.

J'échangeai un regard déçu avec Banga.

À cet instant, le chevalier d'Amon surgit du carré des officiers et je me présentai :

— Bonjour, monsieur. Je me nomme Aniaba, je suis le fils adoptif du roi Zéna, et voici Banga, fils de la deuxième épouse. Nous venons vous souhaiter la bienvenue en Assinie.

— Vous parlez notre langue ?

— Un peu. Nous avons eu le privilège d'être instruits par deux missionnaires le frère Joseph et le frère François-Xavier, qui sont malheureusement morts des fièvres trois mois après leur arrivée.

— Paix à leurs âmes. Vous nous servirez donc d'interprètes auprès de votre roi. Nous sommes porteurs de bonnes nouvelles.

— Allez-vous enfin construire le fort ?

— Je garde la primeur de l'information pour votre roi. Pouvez-vous me conduire à terre ?

Banga et moi eûmes donc l'honneur d'amener sur notre sol le chevalier d'Amon et deux officiers. J'espérais que d'Amon serait un aussi bon conteur que Ducasse et les missionnaires, car j'avais envie de m'évader encore par la pensée vers ce pays aux merveilles qu'ils avaient le bonheur d'habiter.

# 5

D'Amon n'était pas venu les mains vides et, lors de la fête donnée par Zéna pour célébrer notre alliance avec la France, il annonça d'un ton pompeux :

— Notre roi, Louis le Grand, quatorzième du nom, honoré par l'alliance de nos deux peuples, vous prie d'accepter ces présents.

Il fit un pas en avant vers Zéna assis sur son lit, s'inclina et tendit à deux mains une médaille d'or à l'effigie de Louis XIV.

Zéna s'en saisit, la tourna entre ses doigts et hocha la tête d'un air satisfait.

Ensuite, un esclave sortit d'un énorme coffre toutes sortes d'objets : douze cuillers, douze fourchettes, douze couteaux d'argent, une aiguière, un sucrier, deux salières, quatre flambeaux, deux douzaines d'assiettes d'étain, quatre bassins, quatre plats, quatre tourtières, six casseroles, deux poissonnières, deux broches, une paire de chenets, six nappes et six douzaines de serviettes brodées. Deux autres esclaves apportèrent un fauteuil et douze chaises pliantes.

L'argent brillait à la lumière des torches et je vis bien le regard admiratif des femmes lorsque l'esclave étala la vaste toile blanche brodée. Aucun métier à tisser de chez nous ne produisait une aussi grande dimension et un tissu aussi blanc.

Cette profusion de récipients impressionna plus sûrement notre roi que si les armées françaises avaient été sur notre sol. En effet, il fallait être un monarque puissant, gouvernant un peuple inventif, pour utiliser autant d'ustensiles juste pour la cuisine.

Cependant Zéna ne fut pas en reste et offrit au chevalier un petit coffret de poudre d'or en lui assurant :

— Lorsque le comptoir français sera ouvert sur nos côtes et le fort construit, le commerce entre nos deux peuples sera fructueux. Nous réserverons à la France tout l'or de nos mines, l'ivoire et les épices.

Après cet échange de daches et de politesse, un grand repas fut servi. Zéna n'y participa pas. Ce n'est pas la place d'un roi de manger devant ses sujets, mais Yamoké honora les Français de sa présence et, puisque j'étais le fils adoptif de l'épouse préférée, j'y assistai aussi. Nos meilleurs guerriers exécutèrent des danses au son des tambours, et les filles servirent avec grâce et empressement les Français.

Au cours de cette veillée, d'Amon nous narra quelques unes des aventures vécues lorsque, au service de la Compagnie de Guinée, il avait sillonné les mers, traversé les océans, vaincu les tempêtes et les pirates et rencontré de nombreux peuples à qui il avait apporté son soutien au nom de la France.

Nous étions sous le charme de cet homme qui se révélait être un véritable chevalier doublé d'un grand capitaine. Et nous étions fiers que le roi de France nous envoie cet émissaire.

Je lui trouvais plus de panache qu'à Ducasse et j'avais très envie qu'il me parle encore de la France et de son roi. Aussi, dès le lendemain, je m'approchai de la case aménagée pour lui et ses officiers par des esclaves. Notre roi avait dépêché deux de ses gardes pour leur protection et leurs sagaies, croisées devant l'ouverture de la case, en interdisaient l'accès.

— J'ai la tête en feu ! se plaignait d'Amon. Leur vin de palme est une horreur !

— Moi, j'ai été dévoré par les maringoins[1], enchaîna un officier.

— Et j'ai les reins moulus d'avoir dormi sur cette natte ! Qu'on débarque vitement mon lit ! Un peu de confort dans ce pays de sauvages ne...

Les deux hommes s'arrêtèrent net lorsqu'ils m'aperçurent mais, afin de ne pas nuire à nos bonnes relations, je fis comme si je n'avais rien entendu et je leur dis :

— Je vous salue, messieurs, j'espère que vous êtes bien installés.

— Parfaitement.

— Nous avons conscience que nos traditions sont loin d'être les mêmes qu'à la Cour de Louis le Grand, mais nous vous offrons ce que nous avons de mieux.

— Certes.

— J'ai beaucoup d'admiration pour votre roi.

— Il sera flatté de l'apprendre, ajouta d'Amon.

Il se retourna pour se moucher violemment dans une pièce d'étoffe, mais je crois bien qu'il s'agissait d'un fou rire qu'il essayait de cacher, car l'officier qui était avec lui fut saisi instantanément du même mal.

Je tâchai de surmonter le trouble qui s'emparait de moi, j'avais trop envie d'entendre encore

1. Moustiques.

des commentaires sur la France, objet de tous mes rêves, et je demandai :

— Pourrez-vous me parler de Louis le Grand et de son splendide château de Versailles ?

— Je ne suis point en Assinie pour conter Versailles, mais pour y établir un comptoir, me répondit d'Amon d'un ton dédaigneux. Ce jour d'hui, nous allons choisir l'emplacement pour le fort et ce ne sera pas une mince affaire. Je n'ai point de temps à perdre, retournez à vos jeux, jeune homme et laissez-nous travailler !

Piqué au vif, je quittai la case sans un mot.

Je m'étais trompé sur cet homme. C'était un butor. Je me promis de ne plus jamais lui adresser la parole.

Cependant, alors que je contournais la case, j'entendis l'officier dire à d'Amon :

— Tu as eu tort de t'emporter. Ce garçon est le fils adoptif du roi, il vaut mieux l'avoir avec nous que contre nous !

— Ce n'est qu'un gamin, comment veux-tu qu'il nous nuise ?

— Banga et lui sont les seuls à connaître le français... Pour se venger, ils peuvent fausser les traductions lors des entrevues avec Zéna et s'arranger pour que cela se passe mal pour nous... Sans la confiance de Zéna, plus de comptoir ! Louis le Grand sera furieux et brisera ta carrière.

— Tu m'agaces ! grogna d'Amon en sortant précipitamment de sa case.

Je me cachai derrière un arbuste, le souris aux lèvres. Je n'étais pas fâché de savoir que j'avais leur destin entre les mains.

Après la visite de plusieurs sites, l'emplacement fut choisi : sur une hauteur, face à la mer. La vue portait à la fois sur l'océan qui pouvait apporter des navires d'Europe et, à l'arrière, sur le fleuve d'où les ethnies rivales pouvaient surgir. Au son des tambours et des trompettes un grand mât fut planté à l'endroit où se dresserait bientôt le fort. Un drapeau blanc à fleur de lys y fut accroché de manière à bien signifier aux autres nations que l'Assinie était à présent sous la domination française.

Je traduisis le discours de d'Amon d'une voix sans chaleur. Je lisais l'anxiété sur son visage avec une sorte de jubilation. Banga traduisit celui de Zéna. Je l'avais mis au courant de la situation et il fit exprès d'hésiter et de supprimer quelques formules de politesse. Les propos de notre roi parurent plus secs et prompts à semer le doute dans l'esprit des Français.

Ma petite vengeance réussit au-delà de mes espérances.

Zéna me fit appeler :

— Ce d'Amon n'est pas franc, me dit-il... je crains que lorsqu'il aura quitté notre territoire, il n'oublie ses promesses, comme l'a fait Ducasse avant lui. Qu'en penses-tu ?

Il me coûtait d'avouer que ma traduction reflétait ma colère d'avoir été rabroué par d'Amon...

— Le roi de France vous a honoré de nombreux présents, répliquai-je.

— Ces Français sont imprévisibles !

Quelques instants plus tard, un esclave vint m'annoncer que le chevalier d'Amon souhaitait me voir dans sa case. Lorsque j'y pénétrai, le chevalier m'accueillit, le visage inquiet :

— Aniaba, il me semble que le roi est moins bien disposé à notre égard ?

— Sans doute. J'ai ouï dire qu'il avait eu des propositions de la part des Portugais qui souhaitent eux aussi établir un comptoir sur nos côtes et s'engagent à protéger notre peuple.

J'avais inventé cette fable pour voir sa réaction.

— Seigneur ! se lamenta-t-il. Louis le Grand ne me pardonnera pas cet échec ! L'Assinie doit être française !

Il me tourna alors le dos et s'absorba dans la réflexion. Tout à coup, il se retourna, souriant, et m'annonça :

— Et que diriez-vous, prince Aniaba, de vivre à Versailles et d'être instruit de notre langue et de notre culture ?

— Moi ? bredouillai-je, complètement abasourdi par cette proposition.

— Oui. Vous. Je vous offre l'opportunité de devenir un autre homme, instruit, cultivé. Ensuite, lorsque vous regagnerez l'Assinie et que vous serez roi à votre tour, vous aiderez les vôtres à devenir un grand pays ami de la France. N'est-ce point une idée merveilleuse ?

D'Amon réveilla en moi un vieux rêve enfoui : venger les Étiolé, venger mon père assassiné et peut-être retrouver ma mère disparue ! D'Amon m'offrait enfin ma chance ! Non seulement j'allais profiter de la vie fastueuse à Versailles, mais lorsque je serais instruit, cultivé, que j'aurais appris à me battre avec les armes des Européens, je reviendrais et je reprendrais le pouvoir ! Je chasserais les Essouma comme ils avaient chassé les Étiolé et je serais le nouveau roi !

Sans attendre ma réponse, il se précipita hors de sa case en lançant :

— Je vais de ce pas faire cette proposition à votre roi. Il ne pourra la refuser sans offenser grandement la France.

Comme je ne fus pas invité à assister à l'entretien, j'ignore ce qui fut convenu entre les deux hommes, mais le lendemain, Zéna me fit appeler et m'annonça :

— Aniaba, tu vas partir pour la France. Tu seras le gage de l'amitié entre nos deux peuples.

Habitué à obéir, j'inclinai la tête, mais cette décision comblait mes voeux.

Yamoké, le frère du roi, cachait mal sa satisfaction de voir que je m'éloignais du trône dont il était l'héritier. Il avait peut-être même insisté auprès de Zéna pour obtenir mon départ.

Ni l'un ni l'autre ne soupçonnèrent mon projet, persuadés que j'avais oublié jusqu'au nom des Étiolé.

# 6

Je cherchai Banga pour lui annoncer cette bonne nouvelle.

Un garde me dit l'avoir vu partir en direction de la rivière. Je m'y rendis donc et le trouvai accroupi près de l'eau. Lorsqu'il entendit mon pas, il se redressa prestement, essuya ses yeux rougis d'un revers brusque de la main et me demanda d'un ton peu amène :

— Qu'est-ce que tu veux ?

— T'annoncer mon départ.

— Je le sais déjà... Yamoké était trop content de me prouver que notre amitié n'avait pas résisté à l'appel de la France !

— C'est Zéna qui a décidé.

— Oui, mais ne me dis pas que tu n'en es pas

heureux ? Déjà, lorsque les missionnaires nous décrivaient la France, tu mourais d'envie d'y aller...

— C'est vrai.

— Abandonner ton pays, ta tribu, tes compagnons ne te peine pas ?

Bien qu'il soit mon ami, Banga était un Essouma. Jamais notre appartenance à deux tribus ennemies ne créa d'obstacle entre nous. Lui aussi était persuadé que j'étais devenu un Essouma à part entière.

Je ne le détrompai pas.

Il est vrai que, dans le plan que je m'étais fixé, j'avais oublié Banga. Je ne me voyais pas, revenant à la tête d'une armée, me battre contre lui et peut-être le tuer. Il devait partir avec moi afin que je puisse le gagner à ma cause.

Et puis, malgré ce projet qui me faisait vibrer, n'allais-je pas souffrir du mal du pays ? Pourrais-je m'habituer à un autre mode de vie, un autre climat ? Ma langue, ma culture ne me manqueraient-elles pas ? Avoir Banga à mes côtés me réconforterait.

Je le questionnai habilement :

— Autant que je me souvienne, toi aussi, tu rêvais de découvrir le pays de Louis XIV.

Il poussa un énorme soupir.

— Et si tu partais avec moi ? proposai-je.

— On ne m'a pas invité.

— Je vais arranger ça.

Il me jeta un regard incrédule. J'insistai :

— Tu peux compter sur moi.

Il me serra la main :

— Tu es un véritable frère.

Je me rendis dans la case de Zéna. La séance du conseil venait de se terminer, car j'avais croisé les anciens qui le composaient, Yamoké à leur tête. Le roi était donc seul ou avec ses femmes. C'était le bon moment.

Notre roi, drapé dans l'immense étoffe blanche offerte par les Français, était assis sur une natte. Pimaké, la favorite du moment, lui versa à boire dans un récipient en argent si vaste que sa tête disparut lorsqu'il l'approcha de ses lèvres, ce qui la fit glousser de rire. Zéna grogna, posa le récipient et m'aperçut.

— Alors fils, tu viens me faire tes adieux ?

— Père.

Je m'arrêtai. Ce mot m'écorchait les lèvres. Mon père était mort. Zéna n'était qu'un usurpateur, mais j'avais appris à l'utiliser afin de m'attirer sa bienveillance.

— Père, je souhaiterais que Banga m'accompagne. Puisque je serai en France votre ambassadeur, il me semble important qu'un de vos plus fidèles sujets soit à mes côtés.

— Je te l'accorde, me répondit-il sans hésiter.

Nos adieux se limitèrent à ces quelques mots. Je m'inclinai, puis je sortis, traversai la cour et pénétrai dans la case réservée aux femmes. J'y fus accueilli par des cris de joie. Les femmes de Zéna m'aimaient bien. Peut-être parce que je ne m'étais jamais mêlé de leurs querelles, refusant de prendre le parti de l'une contre l'autre lorsque le roi changeait de favorite. J'avais également toujours refusé de tremper dans les intrigues qui permettaient à une famille, en échange de daches, de faire de leur fille la nouvelle élue du roi. Yamoké y réussissait fort bien.

Chiki, entourée de deux servantes qui tentaient de l'apaiser, sanglotait.

— Ainsi, tu m'abandonnes... moi qui te chéris comme mon fils !

J'essayai de ne pas me laisser attendrir par ses larmes. C'est parce que mon père avait été assassiné et que ma mère se terrait quelque part, sans doute recueillie par une autre tribu, que j'étais devenu son fils. Jamais je n'avais pu me laisser bercer par elle. Elle mettait ma froideur sur le compte du choc que j'avais vécu, enfant. Elle n'avait pas tort.

Cependant, au moment de quitter l'Afrique, j'avais besoin de venir la saluer. C'était une façon détournée de lui rendre un peu de l'amour qu'elle m'avait donné.

Elle s'approcha de moi, me serra dans ses bras et, pour la première fois sans doute, je répondis à son étreinte.

— Au revoir, fils. Reviens-nous vite.

Ma gorge s'était nouée et je sortis de la case sans un mot, furieux de sentir l'émotion me gagner.

# 7

D'Amon était pressé de partir.

Dès le lendemain matin, tout le village se rassembla autour de notre arbre fétiche. L'ofron dirigea la cérémonie. Il s'assura que nous possédions bien notre fétiche, puis tous nous escortèrent en chantant jusqu'à la pirogue qui nous amena contre la coque de l'*Impudent.*

Banga se retourna plusieurs fois pour agiter la main vers ses amis restés sur la rive. Je ne me retournai point. Je ne saurais dire si je craignais de m'attendrir ou si je souhaitais tirer un trait définitif sur mon passé.

La veille, des tonneaux d'eau, de vin de palme, des sacs de fruits, d'herbe, de pois, de choux, une vache, trois cabris, des œufs, de la viande séchée avaient été montés à bord, sous l'œil vigilant du coq.

D'Amon avait aussi embarqué un couple de sagouins, des singes pas plus gros que le poing et quelques oiseaux multicolores. Le roi appréciait les espèces nouvelles pour la ménagerie de Versailles et se montrait toujours plus aimable lorsqu'on lui en offrait. Le chevalier emportait également quelques porcs-épics dont il avait apprécié la chair fine. Il espérait que cette nouveauté culinaire plairait à Louis le Grand.

Zéna avait voulu offrir un couple d'éléphants, mais d'Amon avait refusé sous prétexte qu'il n'avait pas assez de place à bord. Je découvris, plus tard, qu'il avait en fait une idée plus rentable pour remplir les cales du navire.

Dès que les amarres furent larguées, les officiers disparurent, sans doute afin d'assister à une réunion dans la cabane[1] du capitaine. Banga et moi entreprîmes d'explorer le navire. Tout nous impressionna : la grosseur des mâts soutenant les énormes voiles, le nombre des cordages, les mousses qui semblaient surgir de nulle part pour grimper dans les haubans, le nombre de ponts, la profondeur des cales, les canons...

1. Ancien mot pour désigner la cabine.

— Si nous avions des bateaux aussi gros, me souffla Banga, nous deviendrions les maîtres de l'Afrique.

— Nous apprendrons à en fabriquer, et lorsque nous reviendrons en Assinie, je prendrai le pouvoir et tu seras mon premier conseiller.

Trois heures à peine après notre départ, nous fûmes invités à la table du capitaine.

Banga et moi, nous nous présentâmes vêtus de notre paigne. C'était le seul vêtement que nous possédions. Nous n'emportions que notre fétiche, notre arc et nos flèches, dont aucun guerrier ne saurait se séparer.

Nous vîmes bien les regards moqueurs qu'échangèrent certains officiers et le mépris affiché par celui à qui échoua la place à mon côté gauche. Alors que jusqu'à ce jour ma nudité ne m'avait jamais soucié, je découvris qu'elle choquait les Français et qu'elle était un sujet de raillerie. Sur notre sol pourtant, aucun d'eux ne me l'avait fait sentir. Mais sur ce navire, j'étais déjà en territoire français. D'Amon nous l'expliqua brièvement et assez sèchement :

— À l'avenir, vous vous habillerez décemment. Un homme d'équipage vous portera bas de soie, culotte, chemise, veste et souliers. Ainsi, vous aurez l'apparence de gens civilisés en attendant de le devenir véritablement.

Cette boutade déclencha l'hilarité générale.

Je serrai les dents pour contenir ma colère.

Dès cet instant, je sus que ce voyage, tant de fois rêvé, ne serait pas aussi idyllique que je l'avais imaginé.

Pour la nuit, on nous attribua deux hamacs dans le carré des officiers.

Après deux jours de navigation, nous fîmes escale dans un pays dont j'ignore le nom. Alors que je me réjouissais de le découvrir, d'Amon ne me permit pas de quitter l'*Impudent* :

— Les gens de ce peuple sont querelleurs, m'annonça-t-il, et s'ils apprenaient que vous êtes le fils du roi d'Assinie, ils pourraient vous prendre en otage et exiger une rançon.

D'Amon et ses officiers demeurèrent cinq jours à terre.

Banga et moi, habitués aux grands espaces, souffrions de ne pouvoir marcher dans la forêt ; aussi, faisions-nous les cent pas sur le pont.

Nos nouveaux habits furent la source de tracas. Les bas collaient à la peau, les manches amples de la chemise me gênaient et la veste me faisait suer. Plusieurs fois, nous fûmes tentés de tout arracher. Pourtant, au fil des jours, nous parvînmes à supporter notre accoutrement. Moi peut-être plus facilement que Banga qui ne cessait de maudire ses vêtements.

Les mousses, heureux de cette escale qui les soulageait d'avoir à grimper dans les cordages, jouaient aux cartes, aux dés, chantaient au son d'un violon. Bientôt, ils nous convièrent à partager leurs jeux. Comme nous en ignorions les règles, ils nous les apprirent, ce qui donna lieu à de grands éclats de rire. Banga n'était pas doué pour les cartes, mais adroit aux dés. Je me révélai un habile joueur de cartes, car je compris rapidement toutes les stratégies.

Un nommé Jeannot s'amusa même à m'enseigner quelques tricheries qui me permirent, le quatrième jour, de m'assurer la victoire. Je remportai ainsi toute la mise : une poignée de petits cailloux blancs.

Jeannot avait douze ans. Il était natif de Saint-Malo. Il avait déjà navigué pour la Compagnie des Indes, mais c'était son premier voyage pour la Compagnie de Guinée. Lui qui ne savait pas grand-chose fut sans doute flatté de transmettre son savoir à un prince d'Afrique.

Il nous demanda de lui parler de l'Assinie et surtout des animaux qui y vivaient.

Je lui décrivis le mieux possible les lions, les tigres, les panthères, les éléphants, qu'il n'avait jamais vus en liberté, parce que les mousses ne sont pas autorisés à descendre du bateau.

— Dame, les capitaines craignent que certains ne choisissent de s'établir dans ces nouveaux pays pour y chercher de l'or ou y faire le commerce de l'ivoire ou des peaux. Et comment ramener le navire à bon port s'il n'y a plus de marins ? Alors nous avons l'ordre de rester à bord... et impossible de désobéir ! Les officiers ont pris toutes les chaloupes disponibles pour franchir les barrières de sable, et aucun de nous ne sait nager.

Nous attendîmes donc le retour de d'Amon en passant le temps le plus agréablement possible.

Enfin, les chaloupes revinrent. Elles firent plusieurs voyages entre la côte et notre navire. Une chaloupe était si pleine de défenses d'éléphant qu'une lame de fond faillit la faire chavirer. Les mousses s'employèrent à la décharger et à entreposer la précieuse marchandise dans les cales. Une autre arriva chargée de sacs que les matelots lançaient sur le pont sans ménagement.

— Attention ! hurla un officier, si un sac tombe à l'eau, c'est cent coups de fouet.

— Que contiennent-ils de si précieux ? demandai-je à Jeannot.

— Probablement de la gomme arabique, de l'ambre gris, de l'indigo et des plumes d'autruche. Nous en avons déjà chargé avant d'arriver en Assinie, mais d'Amon en veut toujours plus. Il paraît que l'ambre gris vaut plus cher que l'or.

— On en trouve aussi sur nos côtes. Mais je ne comprends pas l'engouement des Européens pour cette substance grise et malodorante sortie du ventre des cachalots.

— J'ai ouï dire qu'elle était utilisée dans la fabrication de parfums pour les dames de la Cour...

Banga fronça le nez et ajouta :

— On doit sentir fort mauvais à la Cour de France.

D'Amon nous surprit en train de rire.

— Au travail ! rugit-il à l'intention de Jeannot. Quant à vous, restez à votre place et ne vous mêlez de rien !

Furieux d'être traité de la sorte, je répliquai :

— Monsieur, je suis prince d'Assinie et je n'ai pas d'ordre à recevoir de vous !

— Ici, vous êtes mon passager et je suis seul maître à bord, me rétorqua d'Amon.

Décidément, ce d'Amon était fort déplaisant.


Les mousses larguèrent les amarres, levèrent les voiles, et nous nous éloignâmes des côtes. Comme il y avait bon vent, nous progressions rapidement. Je ne savais plus que penser. Tantôt j'étais impatient de découvrir la Cour de France, tantôt l'angoisse d'avoir quitté mon pays me torturait. Banga partageait le même trouble. Parfois, il me disait :

— J'ai un mauvais pressentiment. Nous n'aurions pas du partir.

Suivant mon état d'esprit, je lui répondais sombrement :

— Tais toi, mon frère.

Ou alors :

— Ma fétiche m'assure que notre vie sera belle !

Durant cinq jours, Jeannot fut si occupé que nous renonçâmes à bavarder avec lui afin de ne pas lui porter préjudice.

Banga et moi étions toujours invités à la table du capitaine. Eu égard à mon rang de prince, il ne pouvait sans doute pas faire autrement. Mais il marquait son indifférence, sinon son mépris en ne nous adressant pas plus de trois mots pendant le repas. C'était, le plus souvent, pour nous lancer une phrase assassine lorsque par maladresse, nous avions lâché notre fourchette, ou que nous faisions la moue en mangeant un mets inconnu.

— Prince Aniaba, disait-il en insistant sur le mot « prince », il faudra apprendre à manger de manière civilisée si vous voulez tenir votre rang à la Cour !

Je ne rétorquais point afin de ne pas envenimer la situation.

Plusieurs fois, je fus tenté de refuser de paraître à sa table, mais je craignais que ma rébellion ne nous attire des ennuis.

Au matin du sixième jour, notre navire vira en direction des côtes. Lors du repas, je demandai à d'Amon :

— Faisons-nous une nouvelle escale ?

— Oui.

— Dans quel pays ?

— L'île de Gorée, face au Cap-Vert.

— Allez-vous charger d'autres marchandises ?

— C'est cela ! répondit-il en s'esclaffant.

Les officiers rirent à leur tour, mais aucun ne crut utile de nous expliquer la cause de leur hilarité.

Le soir même, l'ancre fut jetée à quelques encablures de la côte.

— Pas hospitalière, cette île, me fit remarquer Banga en désignant de l'index les montagnes escarpées plongeant dans l'océan.

— C'est un lieu sûr et bien protégé qui convient parfaitement pour y amasser les esclaves avant leur départ, nous expliqua Jeannot.

Il avait surgi derrière nous sans que nous l'ayons entendu.

Le mot esclave ne me choquait pas. Notre roi Zéna utilisait aussi, comme serviteurs, des prisonniers de tribus ennemies.

— Il y en a beaucoup ?

— Plusieurs centaines. Le roi de ce pays qui s'étend autour de la rivière Sénégal est un tyran fou. Il emprisonne ses propres sujets pour un oui ou pour un non et les livre aux Français en échange d'eau-de-vie ! Et comme il en consomme une barrique par semaine, il organise des arrestations de familles entières : femmes et enfants compris !

— Des femmes et des enfants ? Es-tu certain ?

— Oui. C'est ainsi que la Compagnie du Sénégal qui fait acheminer les esclaves aux Antilles s'enrichit ! Il faut des mousses pour faire avancer les bateaux et des esclaves pour travailler les terres lointaines. À chacun sa destinée.

Il soupira et reprit :

— Avant d'arriver en Assinie, nous avons déjà fait escale à Caillor dont Damel Fal Biram est le roi et j'ai ouï dire que d'Amon y a retenu des esclaves pour les acheminer en France. Il paraît que les dames de la noblesse aiment avoir des nègres[1] pour domestiques. Eux, au moins, seront nourris et logés, ce qui n'est même pas le cas dans ce malheureux pays de Caillor.

— Mais ils ne seront pas libres ! m'exclamai-je.

— Oh, la liberté, c'est un mot pour les riches. Ceux qui doivent travailler pour ne pas crever de faim ne sont jamais libres.

J'admirai sa sagesse. Il est vrai que j'étais parmi ceux qui n'avaient jamais dû travailler durement pour avoir à manger. Que ce soit un mousse de douze ans qui me fasse la morale me contraria, pourtant comme il n'y mettait aucune malice, je me contentai de hocher la tête pour lui signifier que je partageais son opinion.

---

1. Le mot « Nègre » n'a pas le sens péjoratif d'aujourd'hui. Il était couramment employé pour désigner les Africains.

Le lendemain matin, un canot vint au-devant de nous et guida la chaloupe de d'Amon et de ses officiers jusqu'à une crique.

Avec une longue vue, je suivis le délicat passage de la barre de sable et j'aperçus les indigènes qui accueillaient les Européens avec des manifestations de joie.

Deux jours plus tard, des canots pleins d'esclaves vinrent heurter le flanc de l'*Impudent*. Les sous-officiers les poussaient sans ménagement pour les encourager à empoigner l'échelle de corde, puis à franchir le bastingage. Les hommes criaient, quelques femmes et des enfants pleuraient, mais l'on entendait surtout les vociférations des Français qui avaient sans doute abusé du vin de palme. Les esclaves étaient groupés dans un coin du navire entre deux rangées de militaires, leurs fusils prêts à tirer si l'un d'entre eux décidait de se jeter à la mer pour regagner le rivage.

Comme j'assistais à l'embarquement de ces malheureux, je surpris le regard étonné qu'ils posèrent sur moi. Je me sentis aussitôt fautif et je crus utile de leur annoncer dans ma langue maternelle :

— Je suis Aniaba, prince d'Assinie.

Le plus vieux d'entre eux me cracha au visage.

Nous quittâmes notre mouillage dès le lendemain avec deux autres navires, *La Hollande* et
*La Loire,* venus faire du commerce sur les côtes
d'Afrique et qui regagnaient la France.

Avant d'appareiller, les capitaines des deux
vaisseaux étaient montés à notre bord, afin, je le
suppose, de s'entendre sur la route à suivre. Les
officiers s'étaient réunis, avaient mangé et bu, mais
Banga et moi n'étions pas conviés. J'avais cependant
surpris le regard interrogateur de ces messieurs
lorsqu'ils nous avaient vus.

— Le prince Aniaba d'Assinie et son cousin
invités par Louis le Grand à un séjour en France,
annonça d'Amon.

J'étais satisfait qu'il me donnât le titre de prince.

Pourtant, cela n'impressionna pas les capitaines. Après nous avoir toisés, ils firent un mouvement de tête qui pouvait passer pour un salut. Banga et moi fîmes de même.

— Je suis dégoûté par le manque de considération que les Français t'accordent, me souffla Banga.

— Ah, mon ami, je crains bien que nous n'ayons à subir les pires humiliations ! Être prince d'Afrique n'a, apparemment, aucune valeur pour ces hommes là.

Nous naviguâmes trois jours par un temps fort agréable, le vent en poupe, bon et frais par une très belle mer. Mais au mi[1] du quatrième jour, les vents devinrent fort impétueux et la mer s'agita.

D'Amon donna l'ordre de carguer toutes les voiles afin de nous laisser aller à mâts et à cordes au gré des vents.

Sur les deux heures après minuit, la mer avait encore enflé et le vent augmenté en puissance. Tout à coup, un craquement énorme et sinistre résonna à mes oreilles. D'un bond, Banga et moi fûmes debout, certains que notre bâtiment venait de se couper en deux. Nous grimpâmes sur le pont. La galerie et notre tendelet avaient été emportés. Les portes et les fenêtres de la Chambre du conseil étaient brisées et l'eau, en s'y engouffrant, avait transporté deux

1. Milieu.

officiers avec leur coffre, leur matelas, leur table et tous leurs effets jusqu'au pied du mât d'artimon.

Le quartier-maître hurlait des ordres pour couvrir le tumulte de la tempête. D'Amon, debout sur le gaillard, fouetté par les vents et l'eau salée, évaluait le comportement du navire et criait à son tour des consignes. Des ombres passaient en courant, revenaient, glissaient, tombaient, repartaient.

À cet instant, j'étais persuadé de finir ma vie en ce lieu ce qui aurait été terrible, car, ne pouvant point être enterré afin de rejoindre le centre de la Terre, j'étais condamné à errer, esprit perdu, pour l'éternité.

— Nous sommes trop lourds. Il faut alléger ! ordonna d'Amon, sacrifiez une partie de la charge, ou nous allons couler !

Soudain, une inquiétude le saisit et il hurla à l'intention d'un autre officier :

— Il ne manquerait plus qu'en montant, l'eau ait noyé mes esclaves ! Descendez voir. Et s'il le faut, détachez les fers de leurs pieds pour qu'ils puissent se mettre debout.

J'emboîtai le pas du jeune officier qui, en maugréant, emprunta les escaliers étroits qui menaient dans la cale.

— Je déteste cet endroit, me dit-il. L'odeur y est abominable.

— Voulez-vous que je fasse l'inspection à votre place ?

Il me jeta un coup d'œil interloqué, hésita et finit par accepter.

Lorsque l'officier ouvrit la porte de la cale, une rumeur monta jusqu'à nous et l'odeur nauséabonde nous suffoqua. Il agita un mouchoir devant ses narines et je bandai toute ma volonté pour ne pas faiblir. Il alluma péniblement une lanterne dont la mèche devait être mouillée et me la tendit.

— Je reste à la cime de l'escalier, m'annonça-t-il. Si vous avez un souci, criez fort !

Je me cramponnai contre les parois pour ne point chuter en descendant l'échelle, car le navire tanguait toujours avec violence.

En posant le pied sur le dernier barreau, je levai ma lanterne. Sous mes yeux : le tableau apocalyptique de l'enfer décrit par l'un des missionnaires qui m'avaient enseigné le catéchisme. C'est même cette abominable image qui m'avait détourné du catholicisme car dans notre religion, les morts ne sont jamais soumis à pareils martyres. La seule différence avec l'enfer était que, dans ce navire, les pauvres humains ne souffraient pas par les flammes mais par l'eau, ce qui n'était pas moins cruel.

Ils étaient tous allongés à même la coque, nus, enchaînés par les pieds les uns aux autres. L'eau les recouvrait en partie.

Lorsqu'ils aperçurent ma silhouette, il y eut des cris, des supplications, des pleurs, des injures aussi.

Ma lanterne trembla au bout de mon bras.

Comment une semblable torture pouvait-elle être acceptée par des gentilshommes français qui, d'après les récits des missionnaires, étaient courtois, cultivés, épris d'art, de musique et de danse ?

Cela dépassait mon entendement.

— Nous allons tous mourir ! hurla une voix.

— Pitié, aidez-nous ! reprit une autre voix.

Leurs yeux s'habituèrent bientôt à la lueur de ma lanterne et soudain quelqu'un s'exclama :

— C'est un Africain !

Des murmures d'incompréhension coururent parmi eux. Certains répétèrent :

— Un Africain ?

J'étais pétrifié. Jamais je n'aurais dû descendre dans cette cale. De toute façon, je ne pouvais rien pour eux, sauf, peut-être, proposer qu'on leur délie les pieds afin qu'ils puissent se tenir accroupis. Il était impossible de se tenir droit, tant le lieu était bas de plafond.

— Traître ! hurla soudain une voix de femme. Que les dieux te changent en porc !

La femme qui m'invectiva était jeune. Elle avait un corps musclé et son visage, quoique ravagé par les larmes et la peur, me parut avenant.

Sa révolte me fit l'effet d'une gifle. Je me redressai et leur assurai :

— Je suis le prince d'Assinie, Aniaba. Je ne suis pas un négrier. Je vous jure que je vais chercher à adoucir votre sort.

Je remontai l'échelle et j'annonçai à l'officier :

— Il faut les détacher, ou il y aura des morts par noyade sous peu.

— Grand Dieu, si d'Amon perd de l'argent, il sera en fureur et tout le monde en pâtira !

Il me tendit une énorme clef et, le mouchoir toujours sous les narines, il me demanda :

— Voulez-vous vous en charger ?

Je redescendis dans la cale et je donnai la clef à la jeune fille en lui disant :

— Détachez tout le monde, mais je vous en supplie, lorsqu'on vous portera la nourriture, allongez-vous pour laisser croire que vous avez encore les fers !

Elle empoigna la clef et courut délivrer les autres. Il y eut des soupirs de soulagement, des pleurs nerveux, quelques grognements aussi.

Elle revint vers moi, me rendit la clef et murmura :

— Merci...

Puis, elle se cramponna à ma main et, levant vers moi des yeux noyés de larmes, elle m'implora :

— Ne nous oubliez pas...

# CHAPITRE

# 9

Le temps que je passais dans la cale, le vent avait faibli et la houle s'était calmée. Certes, notre navire était encore secoué, mais on sentait que l'océan rendait les armes.

Je croisai d'Amon qui, échevelé et trempé, se rendait dans sa cabane afin sans doute de s'y changer.

— Y a-t-il des morts parmi les nègres ? s'informat-il.

— Point. Mais...

— Enfin une bonne nouvelle ! Cette tempête nous a fait perdre de vue *La Hollande* et *La Loire*. J'espère qu'ils n'ont pas sombré avec toutes leurs marchandises. Ce serait un mauvais coup pour notre Compagnie !

— Je le souhaite... mais à propos des...

— Plus tard, monsieur, plus tard, me lança-t-il d'un ton excédé.

Le soir, je le retrouvai à table, la perruque bien poudrée, l'habit impeccable. La conversation s'orienta sur l'exploit qu'il avait réalisé en réussissant à sauver notre navire. Chacun y alla de son compliment, écorchant au passage les capitaines des autres bâtiments, qui n'avaient point su maintenir le bon cap. Le moment me parut opportun.

— J'ai inspecté la cale des esclaves, dis-je. Il faudrait leur donner de l'eau afin qu'ils puissent se laver, des linges pour se sécher et de la nourriture aussi.

Le silence se fit et tous se tournèrent vers moi comme si j'avais prononcé une énormité. D'Amon, une cuisse de volaille à la main, me foudroya d'un regard mauvais, puis lâcha :

— Ils n'ont pas eu assez d'eau sans doute ?

Il éclata de rire.

Je serrai les poings sous la table, mais je ne m'avouai pas vaincu et repris :

— S'ils ne peuvent se laver des souillures occasionnées par la tempête, ils risquent de prendre des fièvres et...

— Tsé ! siffla d'Amon en chassant de la main ma réflexion, les nègres sont robustes, c'est même leur seule qualité !

— Monsieur ! ripostai-je en me levant, vous m'offensez.

— Non point, c'est que, voyez-vous, depuis que vous êtes vêtu correctement et que vous parlez notre langue, je vous considère comme des nôtres.

— Je ne le suis pas. Je suis prince d'Afrique et je vous saurais gré de vous en souvenir.

Je bouillais d'indignation. J'hésitai une seconde à quitter la table avec fracas, mais si je me fâchais avec d'Amon, je n'avais aucune chance de pouvoir adoucir le sort de mes congénères.

D'Amon sembla accuser le coup, comme s'il comprenait soudainement qu'il était allé trop loin dans la moquerie.

— Eh bien, prince, me dit-il en accentuant le mot, prenez un mousse avec vous et portez dans la cale quelques sauts d'eau de mer et du linge pour la toilette des esclaves... Pour la nourriture, nous serons obligés d'en réduire la quantité. En pénétrant dans nos réserves, l'eau en a endommagé une grande partie et nous devons tenir jusqu'à notre arrivée à La Rochelle.

Je ne pus m'empêcher de lorgner la table contenant les reliefs d'un repas qui avait été abondant. D'Amon surprit mon regard et ajouta, prenant à témoin les officiers :

— Nous n'allons tout de même pas mourir de faim pour que les esclaves fassent bonne chère !

J'ignorai la mesquinerie de ces propos et, après l'avoir salué d'un mouvement de tête, je quittai la cabane, Banga sur mes talons.

Apercevant Jeannot assis sur un rouleau de cordage, je lui tapai sur l'épaule et il me suivit sans discuter.

Quand je lui eus expliqué ce que j'attendais de lui, il alla chercher un drap dans la cambuse et plongea deux seaux dans la mer. Ainsi chargés, nous descendîmes dans la cale. Les esclaves étaient allongés côte à côte sur le sol, comme s'ils étaient toujours enchaînés. Mais dès qu'ils me reconnurent, ceux qui en avaient la force se levèrent et vinrent saisir les seaux et la toile.

— Merci ! me dit la jeune fille. Grâce à vous, nous allons retrouver un peu de dignité.

De partout, dans la nuit de la cale, des « merci » fusèrent.

— Et pour la nourriture, me demanda-t-elle, pourrez-vous faire quelque chose ?

— Je crains que non. Le capitaine m'a expliqué que nous allions sans doute en manquer...

— Je comprends, soupira-t-elle, mais il y a trois enfants de huit à dix ans... s'ils ne mangent pas, ils ne tiendront pas jusqu'à la France.

J'avais le cœur fendu en pensant à la table des officiers, aussi j'ajoutai :

— Je verrai ce que je peux faire.

À nouveau, elle me saisit une main et murmura :

— Je m'appelle Bama-Li.

Lorsque nous nous retrouvâmes sur le pont, Jeannot me dit :

— Le coq distribue parfois aux mousses les reliefs des repas, je peux garder ma part pour que les trois marmots crèvent pas de faim. Je peux aussi voler un œuf ou deux pondus par les poules et extraire une pinte de lait du pis de la chèvre.

— Tu as du cœur, Jeannot.

Il se rengorgea, fier de nous rendre service.

La navigation se poursuivit. Par chance, nous n'essuyâmes plus de tempête, et comme le vent était bon frais, il gonflait nos voiles et nous donnait l'espoir que notre voyage ne serait plus très long.

Nous aperçûmes bientôt le pic de Tenerife. Comme je m'étonnais de la blancheur qui brillait à la cime, Jeannot m'apprit qu'il s'agissait de neige. Une matière poudreuse et froide qui tombe du ciel en hiver et qui recouvre tout. J'avais du mal à l'imaginer.

— Le pic de Tenerife est le plus haut du monde[1] !

D'Amon fit saluer Santa Cruz par onze coups de canon, après quoi nous mouillâmes à proximité de la côte.

D'Amon se rendit à terre avec quelques hommes. Cette fois, je me débrouillai pour me rendre moi

1. Son altitude est de 3 715 mètres. Le Mont-Blanc mesure 4 810 mètres. Mais les marins connaissaient mieux les montagnes bordant les côtes !

aussi sur l'île afin d'acheter des provisions pour les prisonniers. Grâce à la poudre d'or remise par Zéna, je n'eus aucune peine à acquérir des bananes, des poires, des pommes, et du lait.

Lorsque Banga et moi descendîmes dans la cale les bras chargés, des cris de joie nous accueillirent.

Le plus âgé des esclaves distribua équitablement quelques fruits, mais, avec sagesse, il en réserva une grande partie pour le reste de la traversée.

— Merci, prince Aniaba, me dit-il, grâce à vous ce voyage aura été un peu moins pénible.

J'étais gêné de ne pouvoir faire plus. J'aurais voulu qu'ils puissent sortir de ce trou, respirer l'air du large, manger à leur faim, et surtout qu'ils soient libres ! Libres de repartir dans leur pays et de reprendre leur place au sein de leur famille !

Jamais je ne m'étais posé de question sur l'esclavage. Zéna, Chiki, Yamoké avaient des esclaves à leur service, mais c'étaient des prisonniers de guerre qui avaient évité la mort en jurant de servir fidèlement les Essouma.

Je me promis que lorsque je serais roi d'Assinie, je lutterais de tout mon pouvoir contre ces Blancs qui viennent sur notre sol acheter des esclaves.

Bama-Li lut-elle dans mes pensées ? Elle me décocha un sourire qui se planta dans mon cœur.

# CHAPITRE
# 10

Soudain, le mousse perché dans le nid de corbeau[1] hurla :

— Terre !

Tout le monde se précipita sur le pont et scruta l'horizon.

— Là ! cria à son tour Banga, l'index pointé vers une ligne grise dansant sur la mer.

Les mousses lançaient des cris joyeux, les officiers souriaient, une voix grave entonna un refrain repris en chœur par une grande partie de l'équipage.

Un trouble étrange s'empara de moi. Découvrir enfin le pays dont on m'avait vanté la beauté et être

---

1. Plate-forme faite d'un demi tonneau fixé au sommet du mât de misaine.

présenté au plus grand roi de la Terre me faisait vibrer, tandis qu'une sourde peine éteignait ma joie.

Banga s'en aperçut et me demanda :

— Tu n'es pas heureux d'arriver au bout de ce pénible voyage ?

— Si, si.

Il marqua un temps d'arrêt et enchaîna :

— Tu vas être séparé de Bama-Li, ce qui explique ta grise mine ?

— Mais non, que vas-tu chercher là ! m'insurgeai-je.

Pourtant, il avait vu juste. J'étais tombé sous le charme du sourire et des grands yeux tristes de cette jeune esclave. L'abandonner à son sort me broyait le cœur. Comment faire autrement ? Acheter sa liberté ? J'y avais bien songé. Mais outre que d'Amon devait livrer le nombre d'esclaves prévu à son acheteur, j'étais persuadé qu'il augmenterait son prix pour m'empêcher de l'acquérir et m'humilier. Et me dessaisir de l'or que j'avais apporté aurait été imprudent. Louis le Grand attendait sans doute avec impatience le moment de me rencontrer et il m'était impossible de me présenter en paigne devant lui. M'habiller, porter une perruque, avoir un équipage allait m'occasionner des frais importants. Je devais tenir mon rang de prince d'Assinie par égard pour mon peuple.

J'avais honte de penser à d'apparentes futilités lorsque la liberté d'une femme était en jeu... mais je ne pouvais faillir à la mission que je m'étais donnée. Bientôt, avec l'appui de la France, je reviendrai en Assinie, et je vengerai mon père, ma mère et tout mon peuple en écrasant les Essouma. Renoncer à ce projet était impossible !

Poussé par un vent favorable, notre navire se présenta bientôt à l'entrée du port. Banga et moi, accoudés au parapet de la courtine, nous regardions approcher les trois énormes tours protégeant la ville. Jamais, nous n'avions vu de bâtiments ayant une telle allure. Fiers et indestructibles, ils étaient le signe que la France était une grande nation. Comme d'Amon se trouvait à mon côté à ce moment-là, je lui demandai :

— Est-ce un fort comme celui-ci que vous allez construire en Assinie ?

Une nouvelle fois, il éclata de rire :

— Grand Dieu, non ! Louis le Grand ne va pas dilapider l'argent du royaume pour protéger un comptoir d'Afrique qui rapporte si peu à la France. Des rondins de bois suffiront.

Sa repartie me blessa et je m'éloignai.

— Cet homme est détestable, soufflai-je à Banga.

— Je te l'accorde. Pourtant, c'est à lui que nous devons d'être ici et c'est lui aussi qui te présentera au roi, alors tu dois lui faire bonne figure.

Il avait raison.

Tout le temps que le navire manœuvra pour accoster, j'admirai l'alignement des maisons de pierre le long du quai, leur hauteur, les cheminées montant vers le ciel, les fenêtres ouvertes sur la mer, les pavés sur lesquels roulaient les nombreuses charrettes. J'étais étonné par tous ces hommes blancs, habillés des pieds à la tête, ployant sous les charges, poussant des tonneaux, tirant des ânes qui refusaient d'avancer, criant et tempêtant.

— Est-ce que ce sont des esclaves blancs ? me demanda Banga.

Ignorant la réponse, je haussai les épaules.

Enfin, des mousses lancèrent les amarres qui furent nouées autour des bites d'amarrage. Le pont fut placé et presque incontinent[1] des portefaix se présentèrent pour aider à décharger le navire. Un officier en recruta quelques-uns et les allées et venues entre le ventre du bateau et le quai commencèrent.

J'observai le manège, redoutant le moment où les esclaves seraient extirpés de la cale.

Quelle attitude adopter ?

Devais-je dire au revoir à Bama-Li devant les officiers et d'Amon et donner ainsi libre cours à leurs moqueries ? Feindre de ne la point connaître et la regarder partir avec indifférence ? Je voyais déjà le reproche dans ses yeux.

1. Aussitôt.

Lui serrer furtivement la main en lui promettant mon secours sans savoir s'il me serait possible de tenir parole ? Elle risquait de s'accrocher à moi avec l'énergie du désespoir...

Comme je ne parvenais pas à me décider, la lâcheté l'emporta.

Je me cachai derrière une chaloupe tandis que les esclaves, enchaînés et encadrés par des officiers l'arme à la main, étaient poussés sans ménagement sur le quai.

Bama-Li se retourna plusieurs fois, fouilla le pont du regard, puis suivit le troupeau.

Les larmes me montèrent aux yeux. La peine et la honte se mêlaient. Je sacrifiais une femme de ma race pour ne pas entraver mon ascension. Afin de ne point sombrer complètement dans le désespoir, je me promis : « Plus tard, je la retrouverai et nous rentrerons ensemble en Assinie. »

Banga me donna une tape fraternelle sur l'épaule :

— Chacun à sa place, murmura-t-il. C'est mieux ainsi. Tu es prince d'Assinie.

Cette phrase m'aida à recouvrer ma dignité.

D'Amon m'annonça alors d'un ton pompeux :

— Monsieur, vous voici sur le sol de France, patrie des arts et de la culture.

— Je vous en remercie, lui répondis-je d'un ton ferme, avant d'ajouter : quand partons-nous pour Versailles ?

Il eut ce rire sarcastique que je détestais :

— Holà, jeune homme, pas de précipitation ! Le roi ne brûle pas à ce point du désir de vous voir ! Je dois, avant tout, traiter d'importantes affaires et puis, que diable, prenez du bon temps ! Allez dans les tavernes, jouez, buvez, mangez et lutinez[1] les filles !

Je méprisais cet homme arrogant, attiré uniquement par l'argent et les plaisirs, aussi je m'abstins de répondre.

Tout nous étonna lorsque nous déambulâmes dans La Rochelle.

Les rues pavées sales et glissantes. Les maisons de pierre et de bois serrées les unes contre les autres. Les échoppes ouvertes proposant des douceurs, des pains dorés, des images, des sabots, du tissu, des colifichets, des épices, des bougies... les marchandes accortes qui nous interpellaient pour nous faire goûter un morceau de leur pâtisserie ou nous proposer des fleurs ou des rubans pour notre promise. Le maréchal-ferrant, aussi rouge de la gueule que son feu. Le marchand de tonneaux qu'il faisait rouler devant lui. Et les nombreuses tavernes d'où s'échappaient des relents d'alcool, de poissons frits, des chants, des rires, des éclats de voix.

1. Taquiner de façon espiègle.

Nous étions enivrés par la profusion de marchandises, les odeurs diverses agréables ou nauséabondes et les bruits des charrettes, des chevaux, des ânes. Plusieurs fois, nous dûmes nous plaquer contre un mur pour éviter d'être renversés par un attelage.

— Hou, s'inquiéta Banga, ces gens là ne vivent pas comme nous !

— Certes. Mais il faudra bien nous y faire.

Sans que nous y ayons prêté attention, le ciel s'était assombri et une pluie fine et glaciale tomba du ciel. En quelques minutes, les rues se vidèrent.

Habitués aux pluies tièdes d'Afrique, nous fûmes un peu désorientés. En peu de temps, je fus trempé et je grelottai. Apercevant un imposant bâtiment dont la flèche de pierre montait vers les cieux et plusieurs personnes s'abritant sous le cintre du perron orné de statues de pierre, nous courûmes nous y réfugier.

Nous ne fûmes pas les bienvenus.

Un gentilhomme, le chapeau ruisselant sur sa perruque, nous toisa et marmonna à l'intention de son compagnon :

— Les domestiques nègres sont à la mode... je n'y céderai pas. Ils sont paresseux et peu dignes de confiance.

Une dame, enveloppée dans une cape trempée et serrant contre sa jupe deux garçonnets, opina du chef en nous jetant un regard inquiet.

Ne voulant pas créer un incident qui risquait de nous mettre dans une situation difficile, je contins ma colère. Je pris Banga par le bras et le poussai à l'intérieur de l'édifice. J'entendis le gentilhomme poursuivre :

— Ils ont accepté le baptême pour assurer leur place, mais ils continuent à idolâtrer des dieux de pacotille.

Le calme du lieu me surprit. Une odeur d'encens et de fleurs flottait dans l'air. La majesté de l'édifice m'impressionna. Les piliers élancés soutenaient une voûte fort haute. Les statues d'une femme belle et douce portant un enfant dans ses bras me rassurèrent et je fus fort étonné par cet homme souffrant sur une croix. Me souvenant des leçons de catéchisme des missionnaires, je dis à Banga :

— Il doit s'agir de la Vierge Marie et de son fils que les chrétiens affirment être le fils de Dieu.

Ma voix résonna sous la voûte et Banga me répondit doucement :

— Qu'un dieu accepte d'être crucifié ainsi qu'un simple mortel est bien curieux.

Je partageais son opinion.

Pourtant que des hommes réussissent à bâtir un si imposant et magnifique édifice en l'honneur de leur dieu me fit penser que ce dieu là avait une puissance supérieure à *Aiguioumé.* Je me promis d'étudier de plus près cette curieuse religion.

Nous demeurâmes de longues minutes assis au fond de l'église et peu à peu le calme du lieu m'enveloppa. Je me sentis bien.

# 11

Nous avions eu du mal à trouver un logement. Les aubergistes croyant que nous étions des domestiques renvoyés de leur place pour mauvaise conduite et ne voulant pas avoir maille à partir[1] avec la justice refusaient de nous héberger. Nous dénichâmes finalement une petite chambre sous les toits, sans fenêtre, dans une auberge sise à la sortie de la ville. Le propriétaire fit taire ses scrupules lorsqu'il vit notre bourse. En effet, nous avions vendu notre poudre d'or à un orfèvre dont l'échoppe était proche du port. Devant son empressement, nous avions supposé que c'était lui qui

---

1. La maille est une petite monnaie. À l'origine, l'expression voulait dire « répartir une petite pièce entre plusieurs personnes » ; par extension elle signifie : avoir des difficultés.

faisait la bonne affaire et pas nous... mais si nous ne voulions pas attirer l'attention sur nous, nous devions payer nos achats avec des pièces et non de la poudre d'or.

Je mis ce temps-là à profit afin d'essayer de savoir par qui Bama-Li avait été achetée.

Bien sûr, je ne m'adressai pas à d'Amon ! Mais je me souvenais qu'il avait parlé d'un certain Dubanchet, vendeur d'esclaves.

— Pouvez-vous me dire où je peux trouver le sieur Dubanchet ? demandai-je un matin à notre aubergiste.

— Le sieur Dubanchet n'aime pas qu'on mette le nez dans ses affaires... C'est un homme influent ici et...

— N'ayez aucune crainte, coupa Banga. En fait, nous avons remarqué sur le navire un négrillon d'une dizaine d'années que nous souhaitons engager comme domestique.

— En principe, la traite des esclaves n'existe pas sur le sol français... Ils partent tous pour les îles... Sauf que les nègres sont à la mode et de riches familles paient cher pour en avoir, alors forcément, le sieur Dubanchet essaie de les contenter.

— Il a parfaitement raison, assura Banga.

— Je crains que vous ne puissiez entrer en concurrence avec ces gens-là, et...

Banga fit tinter sa bourse et ajouta :

— Nous ne sommes pas des ingrats, et si nous obtenons satisfaction, nous saurons vous remercier.

— La... transaction aura lieu demain dès huit heures, à l'arrière de l'auberge de l'Étang... mais soyez discrets, je vous en conjure !

Le lendemain matin, j'étais prêt de bonne heure. À dire vrai, j'avais mal dormi. Je m'étais levé, lavé et habillé en prenant un soin particulier à ma vêture.

La veille, chez un fripier de La Rochelle, nous avions acheté des vêtements. Ceux donnés par d'Amon avaient piètre allure après ces longs jours de navigation où nous les avions portés jour et nuit.

Nous nous rendîmes au point de rendez-vous. Des messieurs attendaient déjà, certains en bavardant, d'autres en faisant les cent pas. Tous me reluquèrent sans aménité. Je n'étais pas à l'aise.

Enfin, un homme ventripotent arriva, une canne dans une main, un rouleau de papier dans l'autre. Derrière lui, une vingtaine de nègres, hommes, femmes et enfants encadrés par huit gardes armés.

Un moment d'effroi me saisit. Tous les esclaves transportés par l'*Impudent* n'étaient pas là. Pourvu que Bama-Li y soit ! Je me dévissai le cou pour la chercher et je l'aperçus. Le souris me revint. Elle portait une jupe beige et une blouse blanche qui faisait ressortir la brillance de sa peau.

Le sieur Dubanchet s'assit à une petite table que l'aubergiste avait sortie. L'un de ses assistants s'occupa de la transaction.

Il poussait un Africain devant lui, donnait son âge, assurait qu'il était travailleur, docile, qu'il porterait bien la livrée et que tous les gens de qualité envieraient le maître ayant un tel domestique.

Les bourgeois, les nobles, les riches marchands, les armateurs avançaient, examinaient l'esclave, puis essayaient de marchander ou de surenchérir pour emporter le marché.

C'était ignoble. J'aurais voulu disparaître. Je serrai ma fétiche dans la main pour qu'elle m'envoie une idée afin de venir en aide à Bama-Li.

Lorsque son tour arriva, je frissonnai. Nos regards se croisèrent. Dans le sien, je lus :

— Sauve-moi !

Je baissai les yeux en serrant les poings et je m'éloignai de quelques pas.

— Souviens-toi que tu es en France pour obtenir du roi qu'il construise un fort en Assinie, me souffla Banga.

Il n'avait pas besoin de me le rappeler.

Deux gentilshommes s'approchèrent de Bama-Li. Les voir tourner autour d'elle, la toucher, me mit les nerfs à vif. Je revins vers le groupe, prêt à offrir toute ma fortune pour qu'elle ne subisse plus cette humiliation. Mais comme tous deux voulaient l'acquérir, les prix montèrent. Dubanchet rayonnait. Soudain, il vit mon manège et en profita pour piquer les deux indécis :

— Alors, messieurs, décidez-vous, ou un troisième acquéreur partira avec cette superbe créature.

Bama-Li me jeta un regard plein d'espoir. Las, le prix demandé était si élevé que l'ensemble de ma bourse n'y aurait pas suffi.

Tout à coup, l'un des deux gentilshommes s'exclama :

— Ah, non, c'est trop cher pour une négresse, même jolie !

— Alors, c'est à vous qu'elle revient mon cher Lanoie ! annonça Dubanchet.

Et comme Bama-Li fondit en larmes, Dubanchet ajouta d'un ton excédé, tout en comptant ses billets :

— Vos pleurs sont sans fondement. Vous entrez dans une bonne maison.

— C'est exact, je traite tous mes domestiques avec humanité.

J'étais certain que Bama-Li pleurait de déception et peut-être même de colère parce qu'elle avait cru que j'allais la sauver.

Je quittai la cour de l'auberge, le cœur en miettes.

Lorsque je serais reçu à la Cour, que Sa Majesté, pour sceller l'amitié entre nos deux peuples, m'aurait fait de nombreux présents, je reviendrais, riche et couvert d'honneurs, chercher Bama-Li. Son maître ne pourrait refuser de me la céder sans craindre d'offenser son roi.

CHAPITRE

# 12

Enfin, nous partîmes.

D'Amon avait loué une voiture. Le chirurgien du navire et un officier nommé du Buisson y prirent place avec nous, car ils avaient des affaires à traiter à Paris.

Nous mîmes six jours pour atteindre la capitale, nous arrêtant dans des auberges où d'Amon et ses amis faisaient bonne chère, buvaient beaucoup, se couchaient tard et avaient du mal à se lever.

Banga et moi n'étions pas invités à ces repas. Nous ne le souhaitions d'ailleurs pas. Ce trop-plein de victuailles grasses et d'alcool m'écœurait. À dire vrai, je regrettais le riz, le manioc, les poissons et les fruits d'Afrique.

Dans la voiture, les trois hommes bavardaient

sans nous mêler à leur conversation comme si nous n'étions pas aptes à la comprendre.

Je regardai donc le paysage par l'ouverture de la porte en soulevant de la main le mantelet de cuir. Je vis de grandes et profondes forêts, de solides ponts en pierre enjambant de larges fleuves, des villes imprenables entourées de remparts. Je crois que ce sont les constructions de pierre qui m'étonnèrent le plus. En Afrique, elles sont inexistantes.

Cependant, tout en ayant l'air d'être absorbé par la contemplation du paysage, j'écoutais.

J'appris ainsi beaucoup de choses sur la Cour du roi Louis, ses amours anciennes, son goût pour les fêtes, Versailles, les guerres qui avaient ruiné le pays.

Le trajet me parut interminable. Je ne pensais pas que Paris pouvait être si loin du lieu où accostaient les navires.

Nous arrivâmes vers les deux heures de relevée[1] à une porte de la capitale. La voiture eut du mal à se frayer un passage parmi les petites gens exerçant leur métier sur les pavés : porteurs d'eau, vitriers, vendeurs de bois, de chandelles, sans parler des cochons, des poules, des canards barbotant dans l'eau sale des rigoles. Les maisons étaient si serrées les unes contre les autres qu'on apercevait à peine un coin de ciel entre les toits.

1. Deux heures de l'après-midi, soit quatorze heures.

Enfin, d'Amon toqua contre le plafond et le cocher arrêta le véhicule.

Nous étions dans une rue étroite, devant une échoppe.

— Ce n'est tout de même pas là que vit le roi ? s'étonna Banga.

D'Amon se gaussa :

— Certes non. Mais c'est là que vous allez habiter.

— Ne sommes-nous pas attendus par Sa Majesté ?

— Plus tard. Il faut tout d'abord que je lui fasse le compte rendu de ma mission, que je lui parle de vous... ensuite, s'il le souhaite, il vous appellera.

— Comment ? m'étranglai-je... Il n'est pas sûr que le roi veuille nous voir ?

— Vous avez tout compris !

Il me sembla que le ciel me tombait sur la tête. Je me sentis soudain las et misérable.

— Dans ce cas, pourquoi nous avoir fait venir ? demanda Banga.

— Je n'ai pas de temps à perdre pour vous l'expliquer. Vous rêviez de découvrir la France... eh bien, vous y êtes !

Il toqua à l'huis. La porte s'ouvrit sur un homme déjà âgé, cheveux et barbe gris.

— Monsieur Hyon, comme convenu, voici les deux nègres qui prendront pension chez vous. Vous avez de la chance, ils parlent tous les deux notre langue.

— Vous n'avez pas le droit ! m'insurgeai-je. Je suis prince d'Assinie et non un domestique.

Le sieur Hyon lança un regard étonné à d'Amon qui lui murmura à l'oreille quelque chose que je ne saisis pas, avant de s'adresser à moi :

— En effet. C'est pour cette raison que j'ai dû vous trouver une maison discrète... La Cour est le lieu de toutes les intrigues et les malversations... Un prince qui n'en connaît point les rouages peut facilement se faire voler et même assassiner ! Ici vous êtes en sécurité. Le sieur Hyon vous enseignera tout ce qu'il faut savoir avant d'être présenté à Sa Majesté. Ce n'est affaire que d'une quinzaine de jours tout au plus.

Son propos me rassura d'autant que lorsqu'il fut parti, Mme Hyon vint vers nous et nous accueillit fort chaleureusement. Elle nous conduisit à notre chambre sise à l'étage. Une pièce coquette meublée d'un lit large, d'un coffre, d'une table et de deux fauteuils.

— Vous êtes chez vous ! nous annonça-t-elle.

Dans la petite pièce du bas, éclairée par une étroite fenêtre donnant à l'arrière du bâtiment, elle nous proposa ensuite une collation de pain et de fromage que nous appréciâmes.

— Mon mari est marchand de perles et de pierres fines. C'est le plus fameux sur la place de Paris, nous annonça-t-elle avec fierté. Son atelier est juste là, séparé de cette pièce par la cloison vitrée.

En effet, à travers les vitres qu'une tenture occultait à demi, j'aperçus le dos de M. Hyon penché sur son travail.

Elle marqua un temps d'arrêt avant de poursuivre :

— Notre fils, Henri, devait succéder à son père. Il avait seize ans. Il est mort l'an dernier d'une mauvaise fièvre. Depuis, mes journées sont vides. Je tourne, je tourne... je ne fais rien de bon. Alors mon mari a eu l'idée de louer sa chambre... Et vous voilà. J'espère que vous allez vous plaire ici.

Nous nous plûmes.

Mme Hyon prit plaisir à nous choyer, nous cuisinant de bons repas, lavant notre linge, le raccommodant, le tout avec le souris, un mot gentil et les commérages de la rue qu'elle nous rapportait.

M. Hyon nous proposa de venir le voir travailler. Il nous montra les rudiments de son métier et petit à petit nous apprit à choisir les perles en fonction de leur couleur, de leur pureté, de leur rondeur.

Comme il avait dû le faire pour son fils, M. Hyon essayait de nous transmettre la passion qu'il éprouvait pour les perles et les pierres. En ce qui me concerne, il y réussit bien. Banga par contre ne supportait pas d'être enfermé dans l'atelier.

— Je manque d'air, nous disait-il.

— Ah, sûr, dans mon métier, on voit peu le soleil ! argumenta M. Hyon. Il aurait été préférable que vous soyez hébergé par un jardinier du roi. Sortez donc, jeune homme !

Banga passait donc de longues heures à l'extérieur tandis que j'observais avec quelle dextérité le sieur Hyon triait les perles ou taillait un vulgaire caillou mauve pour en tirer une pierre aux facettes étincelantes.

— Le joaillier de la Cour doit venir choisir des améthystes et des perles pour confectionner une parure.

— Vous êtes donc le joaillier du roi !

— En effet, et de nombreuses personnes de qualité pareillement : des ducs, des marquis et même des princesses du sang. Mais aucun nom ne doit jamais être prononcé. Mes clients apprécient la discrétion.

— Je comprends.

Hyon me regarda avec bienveillance.

— Vous apprenez vite. C'est bien.

— J'ai un bon maître.

Il me tapa affectueusement sur l'épaule :

— Ah, me dit-il, après la disparition d'Henri, j'ai pensé me débarrasser de ma boutique. À présent, je reprends goût à mon travail grâce à vous.

Cet aveu me toucha. Cet homme devait être un bon père et il m'aurait plu qu'il fût le mien. Cependant, je crus utile d'insister :

— Je suis ici pour peu de temps. Je partirai dès que le roi me fera mander...

Il soupira en hochant la tête. J'avais le sentiment qu'il ne croyait pas cela possible, aussi je lui rappelai :

— Je suis prince d'Assinie. D'Amon a dû vous le dire et je dois être reçu par Sa Majesté afin que nous discutions de l'installation d'un fort et d'un comptoir dans mon pays.

— Oui, oui, marmonna-t-il comme on le fait lorsqu'on ne veut pas contrarier un malade.

Craignant de briser cette belle entente entre nous, je renonçai à lui expliquer ma situation par le menu.

Bientôt, il accepta que je sois présent lorsqu'il recevait des acheteurs. J'admirais son humilité devant les grands, mais aussi son assurance lorsqu'il s'agissait de vanter la beauté d'une pierre ou d'une série de perles. Je participais à sa joie lorsqu'il avait effectué une bonne vente et à sa déception lorsqu'il n'avait pas réussi à convaincre un client.

Le soir, je retrouvais Banga.

Las, je le vis changer de jour en jour. Tout d'abord, il sombra dans la mélancolie. L'Afrique lui manquait cruellement. Pour se changer les idées, il fréquenta les tripots du quartier. Souvent, il revenait ivre, dépenaillé et ayant dépensé toute sa bourse au jeu. Notre petit pécule fondait à vue d'œil.

— Comment supportes-tu de demeurer ainsi enfermé avec un vieil homme radoteur ! s'étonnait-il. Viens donc te distraire dehors !

— Ce genre de distraction me déplaît et tu as tort de gaspiller ainsi notre argent !

— Quoi ? Tu me fais la morale ! s'emporta-t-il, alors que tu usurpes la place du fils de ces gens pour de sombres desseins !

— Que dis-tu ?

— La vérité. Puisque d'Amon ne te présente pas au roi, tu cherches une solution de remplacement pour t'enrichir. Hériter de la boutique du sieur Hyon est une excellente idée.

— Tu es ignoble !

— Pas tant que toi !

Nous en vînmes aux mains. Les forces de Banga étaient décuplées par l'alcool, et les coups qu'il me portait étaient violents. Je me défendais tant bien que mal, l'exhortant à cesser ce combat ridicule.

Attirée par nos cris, Mme Hyon ouvrit la porte de la chambre et appela son mari qui nous sépara. J'avais le nez en sang.

Soudain, Banga sembla prendre conscience de ce qui s'était passé. Hébété, il me regarda, hésita, saisit la bourse que j'avais abandonnée sur la table, puis dévala l'escalier et disparut.

Il ne reparut plus.

Je me disais que lorsque je serais accueilli par Sa Majesté, je retrouverais Banga et que notre amitié refleurirait de plus belle.

Deuxième Partie

# DE LA NORMANDIE
# À SAINT-CYR

# CHAPITRE

# 1

Je m'appelle Adélaïde de Pélissier.

Mon père, noble et illustre seigneur Michel de Pélissier, et ma mère, Suzanne des Jouberts, possèdent des terres dans la belle campagne fertile de Normandie. L'un de mes aïeux était chevalier de Saint-Jean en 1510 et mon grand-père maternel était seigneur de Sorquainville. Il s'est vaillamment battu au côté de Louis XIII. Par tradition, mon père a donc levé des armées à ses frais pour batailler contre les ennemis de la France. Il y a acquis une certaine gloire mais y a perdu tout son argent, car il a toujours refusé, contrairement à beaucoup d'autres, de se livrer au pillage des terres conquises... et comme, malheureusement, le roi oubliait de récompenser ceux qui l'avaient loyalement servi, nous nous sommes retrouvés ruinés.

Ma mère supporte mal notre indigence. Je crois qu'elle aurait préféré que mon père soit moins dépensier pour le roi et un peu plus pour sa famille. Enfin, je le suppose, car bien entendu, cette pénible situation n'a jamais été abordée en ma présence.

J'ai eu une enfance heureuse.

La douce Suzon m'a nourrie de son lait et ma mère m'a appris tout ce qu'une jeune fille de qualité doit savoir.

Mon frère, Barthélemy, mon aîné de cinq ans, était mon héros. Je l'admirais car il était grand. Il ne cessait de répéter que dès qu'il le pourrait, il se mettrait au service du roi... Et pour moi, comme pour ma famille, Louis le quatorzième était, après Dieu, l'être que nous chérissions le plus. J'étais donc à la fois honorée et émue de savoir que mon frère approcherait un jour notre roi.

Las, il est devenu pensionnaire au collège d'Alençon. Son départ a été un déchirement bien que nos relations se soient un peu distendues. Il allait sur ses seize ans et devenait trop sérieux. Il préférait souvent les discussions avec notre père aux jeux qui nous amusaient tant quelques années auparavant.

Je jouais dans le jardin et j'apprenais les leçons de morale et de religion enseignées par notre mère avec ma sœur Marie-Cécile qui avait deux ans de moins que moi.

Une nuit d'août particulièrement chaude, ne parvenant pas à trouver le sommeil, je m'étais levée pour aller quérir un verre d'eau. La veille, j'avais oublié de remplir la cruche posée sur ma toilette. Je devais avoir une dizaine d'années. En arrivant devant la porte du grand salon, je vis que, malgré l'heure tardive, la lumière y était encore. Je m'approchai.

— Que vont devenir nos enfants ? s'inquiétait notre mère. Nous ne pourrons pas armer un régiment pour que Barthélemy puisse servir notre roi et nous n'avons pas les moyens d'offrir une dot à nos filles. J'en suis si honteuse que cela altère ma santé.

— Je partage votre souffrance, ma mie. Cependant, je ne me soucie point trop pour notre fils. Mon ami le duc de Chaulnes m'a promis de le prendre avec lui lors de la prochaine campagne. Et la vaillance de Barthélemy lui fera vitement obtenir une promotion.

— Je le crois également, mais pour nos filles...

— Je ne voulais point vous en parler si tôt, mais puisque vous abordez le sujet, je vais pouvoir vous rassurer.

Père s'approcha alors de notre mère assise dans un fauteuil devant la cheminée et poursuivit :

— M. Ruault de La Bonnerie est venu voici un mois me proposer l'alliance de nos deux familles. Il souhaiterait marier son cadet Gabriel à notre Adélaïde.

— M. Ruault de La Bonnerie, dont la belle demeure est à l'entrée de Séez ?

— Si fait. Il vient d'acheter une des dix-huit charges d'officier de la fourrière pour son fils, et son oncle a promis de lui céder sa charge de premier officier à son décès.

— Qu'est-ce que la fourrière, mon ami ?

— Cela consiste à assurer l'entretien des cheminées des appartements royaux.

— Ce n'est guère honorifique, se plaignit ma mère.

— Détrompez-vous, ma mie. Ces officiers ont le grand privilège de disposer des premières entrées chez le roi pour allumer le feu. Ce sont eux aussi qui font chauffer l'eau et la versent pour les ablutions de Sa Majesté.

— Gabriel sera donc en contact permanent avec le roi ?

— Parfaitement.

— M. Ruault de La Bonnerie a-t-il bien saisi qu'Adélaïde n'avait point de dot ?

— Elle en aura une ! Voici plusieurs mois, j'ai fait une demande pour son entrée dans la Maison Royale d'éducation fondée à Saint-Cyr par Mme de

Maintenon. Je ne vous ai rien dit pour que vous ne construisiez pas de châteaux en Espagne... mais à présent, vous pouvez vous réjouir, car après avoir longuement étudié notre cas, M. d'Ormesson vient de me signifier que la prochaine place libre sera pour Adélaïde !

Ma mère se leva et, serrant les mains de son époux avec transport, elle s'écria :

— Ah, mon ami ! Quelle joie vous me faites !

— Non seulement Adélaïde recevra à vingt ans la dot royale de trois mille livres, mais elle acquerra tout ce qu'une jeune fille de qualité doit savoir pour tenir son rang. D'après les confidences de M. Ruault de La Bonnerie, Gabriel est appelé à un bel avenir à la Cour. Son oncle en connaît tous les arcanes et le guidera de son mieux afin qu'il lui succède à son décès.

— Ah, je n'en espérais pas tant pour notre Adélaïde, soupira ma mère.

— Eh bien moi, si. Ses cheveux de feu, ses yeux verts, son teint de porcelaine sont de sérieux atouts. Elle est bien tournée, vive, intelligente, et lorsqu'elle sera parfaitement instruite, elle sera le fleuron de l'homme qui marchera à son bras. Je gage que c'est ce qui a influencé le choix de M. Ruault de La Bonnerie. Pour avancer à la Cour, une jolie femme est parfois plus utile qu'un brevet de capitaine !

— Oh ! François, vous heurtez mon cœur de mère !

— Je n'ai point voulu offenser votre pudeur. L'éducation religieuse et morale que vous avez donnée à nos filles les préservera de sombrer dans la luxure... mais je ne vous apprends rien en disant qu'à la Cour, pour être bien en vue, il est préférable d'être accorte !

— Certes, lâcha ma mère.

Blottie derrière la porte entrouverte, je réprimai un sanglot. En quelques minutes, je venais d'apprendre que j'allais devoir quitter ma famille, ma demeure, ma Normandie pour aller vivre dans un pensionnat et que j'étais promise à un gentilhomme que je n'avais encore jamais vu.

Mon insouciance et ma joie de vivre disparurent ce soir-là.

# 2

Pendant un mois, peut-être deux, la perspective de quitter la douceur de ma vie avec les miens m'assombrit. Ma mère m'en demanda plusieurs fois la raison, mais je ne lui avouai pas que j'avais surpris une conversation entre mon père et elle, car c'était une grave faute, sans doute un péché, d'écouter aux portes. N'ayant point l'envie d'ajouter une punition à ma tristesse, je me tus, arguant une fatigue passagère.

— C'est que vous devenez une demoiselle, me susurra ma mère, les sangs se mettent en mouvement et sont la cause d'humeurs changeantes.

Cette explication me dispensa d'inventer une lanterne[1].

---

1. Mensonge.

Et puis, mon père et ma mère ne me parlant ni de pensionnat ni de mariage, je finis par isoler ces deux catastrophes dans un coin de mon esprit, me persuadant que cela n'arriverait que dans un avenir fort lointain et que mille événements pouvaient encore détourner mes parents de ces projets.

Ma jeunesse et ma joie de vivre reprirent le dessus.

Comme à l'accoutumée, j'assistai à la fête du cidre nouveau, dansant même avec les filles du village, des feuilles et des fleurs piquées dans ma chevelure. Parmi les villageoises de mon âge, quelques unes, séduites par ma simplicité, étaient devenues des amies. Moi, j'appréciais leur gentillesse, leur rire et leur sérieux lors des événements graves qui marquaient la vie du village.

Je n'avais point d'amie dans mon milieu.

Ma mère ne recevait personne les après-dîners et je ne me souviens pas qu'il y eût une quelconque fête dans notre demeure. Nous vivions tous les cinq en vase clos. Je suppose que mes parents n'avaient pas les moyens d'organiser de divertissements et de ce fait nous n'étions reçu nulle part. Cela ne me gênait pas. Me promener avec ma mère et ma sœur, broder l'hiver au coin du feu, lire de la poésie, réciter des fables suffisaient à mon bonheur.

Un jour, je ne sais plus à quelle occasion, notre mère nous montra un magnifique col de dentelle au point d'Alençon. Marie-Cécile s'enthousiasma :

— Je veux apprendre à faire de la si belle ouvrage.

— Voyons, lui répondit notre mère, le travail de vélineuse[1] permet juste aux pauvres de ne pas mourir de faim. De plus, il tue les yeux, les doigts et le dos ! Les fillettes qui le font restent dix-huit heures attachées sur un banc !

— C'est si beau ! On dirait une œuvre des anges.

— J'en conviens. Mais ce n'est point pour vous.

— Je tire bien l'aiguille pour broder des nappes d'autel pour la cathédrale, alors pourquoi ne ferais-je point de la dentelle ?

— N'insistez pas, Marie-Cécile. La dentelle n'est pas un passe-temps, c'est un véritable et dur métier. Il n'est donc point pour les demoiselles de qualité.

Ma sœur bouda tout le jour. Mais la nuit, elle vint me rejoindre dans mon lit et m'annonça :

— Je veux faire de la dentelle.

— Il me semble avoir ouï dire par Suzon que sa nièce travaillait dans un atelier de point proche de chez nous.

— Vrai ? Tu m'accompagneras ?

---

1. Nom donné aux dentellières de la région d'Alençon, car la dentelle se faisait en reproduisant le motif dessiné sur un vélin (papier).

J'essayai de la raisonner, mais elle insista avec tant de conviction que je finis par lui promettre de venir avec elle.

Le lendemain, elle parla de son projet à Suzon qui avait été apprentie dentellière dans sa jeunesse. Sa nièce, Annette, travaillait depuis l'âge de cinq ans dans cet atelier. Elle avait commencé par apprendre le piquage[1], puis avait appris la trace pendant trois ans, et comme elle se révélait un bon élément, elle venait d'entamer l'apprentissage du fond.

— En principe, aucune personne étrangère à l'atelier n'y pénètre, nous informa-t-elle. Les maîtresses dentellières ont trop peur qu'on ne leur vole les dessins qu'elles font exécuter par des peintres et surtout elles ne veulent pas que les ouvrières, distraites par notre présence, cassent le fil, perdent une aiguille ou pire se piquent le doigt et tachent leur ouvrage de sang. Bref, tout ce qui peut retarder le travail de quelques minutes est proscrit !

— S'il te plaît, ma Suzon, pria Marie-Cécile.

Suzon ne résista pas aux supplications de ma sœur et l'après-dîner même, alors que notre mère se reposait dans sa chambre, elle nous conduisit rue des Cordeliers. Mme Coulon, la dentellière, nous reçut fort courtoisement.

---

1. La dentelle d'Alençon se fait à l'aiguille. Elle comporte plusieurs étapes : le piquage, la trace, le fond, la dentelure, la brode. Les vélineuses apprennent ces étapes les unes après les autres. Il faut un an ou deux pour maîtriser chacune.

Elle nous montra une première pièce pourvue de trois hautes fenêtres :

— Notre métier exige beaucoup de lumière. C'est aussi bon pour la dentelle que pour la santé de nos filles, expliqua-t-elle.

Dix fillettes, assises côte à côte sur des chaises basses, perçaient avec régularité de leur aiguille une feuille de vélin.

— Elles recouvrent de trous les traits d'encre dessinés sur le parchemin. Les dessins sont ceux de M. Lebrun, peintre du roi. Je les ai achetés fort cher.

Elle se pencha vers nous et murmura :

— La dentelle est destinée à orner un bustier de Mme la Dauphine. Je vous demande la plus grande discrétion à ce sujet. Personne dans nos ateliers ne sait pour qui il travaille.

Marie-Cécile examina la feuille percée d'une piqueuse et lui sourit sans que celle-ci arrête son mouvement.

À l'autre extrémité de la pièce, huit fillettes, à l'aide de deux aiguilles, traçaient un dessin de fils passant tantôt dessous, tantôt dessus les trous faits par les piqueuses. Marie-Cécile s'arrêta plus longuement. Cette étape lui parut abominablement difficile.

Dans une autre pièce, six jeunes filles sensiblement de mon âge étaient penchées sur leur vélin.

— Celles-ci fabriquent le fond. Ce sont des brides bouclées qui doivent être d'une parfaite régularité.

— Chacune d'elles ne fait qu'une étape de la dentelle ? s'étonna Marie-Cécile.

— Oui. Ainsi la technique est parfaitement maîtrisée. Pendant un an ou deux, on vous apprend le piquage. Lorsqu'on le possède bien, on enseigne la trace, puis le fond. Certaines ne dépassent jamais ce stade. Les plus habiles apprennent les étapes suivantes. Quelques-unes ont vraiment des doigts de fée et deviennent de véritables dentellières... Elles ont le privilège de ne travailler que sur les étapes les plus nobles...

Après plus d'une heure de visite et d'explication, Mme Coulon s'étonna de l'attention de Marie-Cécile pour son travail.

— Habituellement, les demoiselles qui me font l'honneur de pénétrer dans mon atelier ne s'intéressent qu'aux pièces de dentelle terminées et ne s'embarrassent pas de savoir comment elles sont faites.

— Moi, j'aime le travail de la dentelle, répondit Marie-Cécile. La broderie me paraît triste, sombre, sans vie à côté de cette dentelle dans laquelle la lumière joue.

— Ah, demoiselle, vous me réchauffez le cœur ! On sent en vous la passion qui vous anime pour notre merveilleux point d'Alençon.

— C'est que, madame, je rêve de l'apprendre.

Je m'étais imaginé que la maîtresse dentellière allait s'écrier, comme notre mère, que la place d'une demoiselle de qualité n'était point dans les ateliers, mais elle reprit :

— Il y a dans les ateliers d'Alençon et des alentours de plus en plus de demoiselles bien nées mais dont les parents, désargentés, ne peuvent payer la dot. Lorsqu'elles ont franchi toutes les étapes de l'apprentissage et qu'elles sont à même de fabriquer une belle dentelle, elles reçoivent un salaire qui leur permet de se constituer une dot. La plupart entrent ensuite en religion, mais certaines se marient.

— C'est exactement mon cas, lâcha Marie-Cécile.

Je n'étais pas certaine que nos parents aient approuvé que ma sœur révèle notre impécuniosité[1] aux gens de Séez ni qu'ils consentent à ce que leur fille se mêle aux paysannes de la région pour apprendre un métier.

Nous quittâmes l'atelier de point en promettant de revenir. Marie-Cécile avait des étoiles dans les yeux.

1. Manque d'argent.

# 3

Nous retournâmes souvent dans l'atelier de Mme Coulon. Elle avait pris Marie-Cécile en amitié, flattée de l'intérêt de ma sœur pour son travail.

Prétextant des visites aux pauvres de notre paroisse pour leur apporter un peu de réconfort, un bavoir brodé par nos soins ou de la confiture sèche, nous quittions notre demeure avec Suzon. Nous laissions Marie-Cécile chez Mme Coulon, puis la nourrice m'accompagnait à mes œuvres de charité.

Suzon s'inquiétait parfois de tromper notre mère, mais lorsqu'elle voyait la joie de Marie-Cécile, ses scrupules s'évanouissaient.

Un soir d'été, mes parents, ma sœur, Suzon et moi avions participé à la fête des moissons. Marie-Cécile avait été heureuse de retrouver quelques vélineuses. Elles avaient obtenu de Mme Coulon le droit exceptionnel de se coucher tard, à condition toutefois qu'elles fussent à l'atelier à six heures au lieu de cinq et qu'elles terminassent à vingt-trois heures afin de rattraper le temps perdu.

Mes parents avaient présidé la fête, assis sur une sorte d'estrade avec d'autres gentilshommes des alentours.

Mon père aimait à nous dire que, les jours de liesse populaire, il fallait se mettre au rang des paysans pour leur montrer la reconnaissance que nous avions de leur travail. Je me mêlai donc aux filles et aux garçons de mon âge pour la danse, comme je le faisais chaque année.


Ce soir-là, lorsque je fus de retour à la maison, les joues rougies par la danse, les pieds meurtris par mes souliers, mais tout excitée par cette agréable soirée, ma mère se planta devant moi et me gronda, car j'avais, en sautant, laissé entrevoir mes mollets gainés de soie.

— Une demoiselle de qualité ne se conduit pas ainsi. À l'avenir, vous ne participerez plus à ce genre de manifestation.

— Mais mère, Marie-Cécile et moi dansons la bourrée depuis toujours !

— Je la danse mieux que toi ! se vanta ma sœur.

— Marie-Cécile n'a que huit ans, quand vous allez sur vos onze ans, et il ne sied plus à une demoiselle qui va bientôt se fiancer de danser de la sorte.

Le ciel me tomba sur la tête et je m'exclamais :

— Me fiancer !

— M. Ruault de La Bonnerie viendra le dix de novembre nous présenter son fils et nous rendrons publiques vos fiançailles afin de les officialiser.

— A-t-il un cheval blanc comme les princes des contes ? coupa Marie-Cécile.

Je lui lançai un regard mi-furieux, mi-moqueur. Ma sœur aimait trop les contes de fées.

— Allez dans votre chambre, Marie-Cécile, cette discussion n'est pas pour vous.

Ma sœur fit la moue en sortant de la pièce. Je ne suis pas certaine qu'elle n'ait pas écouté notre conversation derrière la porte.

Moi, je m'affolai :

— Déjà ? Je suis si jeune... ne peut-on attendre un peu ?

— Dans notre situation, attendre serait une erreur. Nous agissons pour votre bien, ma chère Adélaïde. Pour cela, il vous faut soit prendre un époux, soit entrer dans un couvent.

Un cri m'échappa :

— Oh, non, mère, pas le couvent ! Je ne supporterai point l'enfermement, même si mon cœur est empli de l'amour de Dieu.

— Je le sais. C'est pour cela que nous devons accepter l'offre de M. Ruault de La Bonnerie.

— Si tôt ?

Mère me sourit et ajouta :

— Il ne s'agit que de fiançailles destinées à sceller l'engagement de M. Ruault de La Bonnerie et le nôtre. Ceci afin qu'aucun de nous ne puisse se dédire sans y perdre son honneur. Mais vous attendrez vos vingt ans et la dot du roi avant de convoler.

— Je ne serai donc pas à cet homme avant l'âge de vingt ans ! m'exclamai-je, soulagée.

— C'est cela.

Sans retenue, j'embrassai notre mère.

— Mon unique souci est de faire votre bonheur et celui de votre sœur. Mais hélas, si nous portons un nom sans tache, nous n'avons point de fortune. Alors nous faisons de notre mieux pour éviter les mésalliances qui nous déshonoreraient, et ce n'est point aisé, croyez-moi.

J'osai lui demander :

— Avez-vous déjà vu le gentilhomme que vous me destinez ?

— Pas encore. Mais votre père affirme qu'il fera un époux tout ce qu'il y a de plus convenable.

Je dus me contenter de cette affirmation qui était loin de me satisfaire. En fait, j'aurais voulu savoir s'il était vieux ou jeune, s'il avait belle allure ou s'il était bossu, s'il était doux et prévenant ou rude et fruste.

La nuit venue, Marie-Cécile entra, pieds nus, dans ma chambre et se blottit dans mon lit. C'était son habitude lorsque quelque chose la tracassait, ou chaque fois qu'elle voulait m'entretenir d'une idée de jeux ou de farces.

— Tu vas te marier ? m'interrogea-t-elle en glissant ses pieds gelés contre ma jambe.

— Non, je vais d'abord me fiancer avec Gabriel.

— Comment est-il ?

— Je l'ignore.

— Moi, je ne me marierai pas. Je veux devenir maîtresse dentellière comme Mme La Perrière[1] et ouvrir un atelier. Les petites filles ne travailleront que dix ou douze heures par jour et elles auront des récréations. L'été, elles pourront courir dehors, cueillir des fleurs, sauter dans la rivière. L'hiver, elles chanteront au coin du feu. Les plus grands peintres du roi exécuteront des dessins pour moi et les plus grandes dames du royaume porteront mes dentelles !

— Mère et père ne le voudront jamais.

— Je suis rusée. Je vais tout apprendre en cachette et plus vite que les autres. Mme Coulon

---

1. Célèbre dentellière (1606-1677), considérée comme la créatrice du point d'Alençon qui est une imitation du point de Venise.

affirme que j'ai une si grande soif de devenir vélineuse que je brûle les étapes. Elle dit aussi que Dieu m'a fait des doigts de dentellière et une tête qui sait réfléchir, ce qui n'est point le cas de toutes ses ouvrières.

— Et toi qui ne tiens pas en place, comment pourras-tu rester des heures assise sur une chaise inconfortable ?

— Parce que je le veux. La dentelle est la plus belle chose du monde.

Petit à petit Marie-Cécile changea. Elle devint effectivement plus réfléchie. Lors des conversations avec notre mère, elle glissait les mots « dentelle » et « dentellière » dès qu'elle en avait l'occasion. Les allusions me semblaient insistantes, mais notre mère ne les relevait pas. Soit qu'elle veuille ne pas en faire de cas afin de lasser sa cadette, soit que, préoccupée par d'autres soucis, elle ne s'en rende même pas compte.

# 4

Marie-Cécile s'échappait le plus souvent possible en direction de l'atelier de Mme Coulon. Elle développait des trésors d'imagination pour inventer des menteries que Suzon couvrait de son mieux. Heureusement pour ma sœur, mère, tourmentée par la perspective de la rencontre avec M. Ruault de La Bonnerie et son fils, ne se méfiait pas.

Elle fit venir son tailleur d'Alençon et sa lingère afin qu'ils m'habillent de neuf. Il s'agissait de faire bonne impression. Jusqu'alors, ma tenue ne m'avait jamais préoccupée. Lorsque je grandissais, la couturière ajoutait un volant à ma jupe et cela me convenait, car comme je l'ai dit, nous ne recevions personne et nous ne sortions de notre demeure que pour les fêtes villageoises. Mère tenait à ce que nous soyons vêtues simplement afin de ne pas faire accroire que nous étions orgueilleuses.

Pourtant, lorsque le sieur Lefau déroula devant moi ses étoffes chatoyantes, mes yeux brillèrent. Une soie rose aux reflets abricot entrelacée de fil d'argent me plaisait particulièrement, mais mère trancha :

— Non. Cela ne convient pas à une fillette de onze ans ! Je préfère ce taffetas bleu d'Avignon. Nous soulignerons l'encolure d'un feston blanc, ce sera sobre et gracieux.

La lingère me proposa trois jupons et une chemise de mousseline. Elle me présenta également des bas brodés, mais mère, une fois encore, choisit les plus simples en m'expliquant :

— Puisqu'il est de la dernière indécence de montrer sa cheville, il est tout à fait inutile de dépenser de l'argent pour que cette partie soit brodée !

— C'est ce qui se fait à la Cour, assura la lingère.

— Certes. Mais nous n'y sommes point ! Ici, nous aimons la discrétion.

Mère ne s'étonna même pas que ma sœur ne vienne pas assister au déballage de toutes ces splendeurs. Marie-Cécile avait saisi cette opportunité pour passer l'après-dîner à se perfectionner dans l'apprentissage de la trace, qu'elle avait entrepris depuis plusieurs jours.

Après avoir noté mes mesures, promis d'exécuter vite et bien le travail pour le prix le plus juste, le tailleur et la lingère se retirèrent. Mère entra dans sa chambre pour se reposer et s'étonna alors de l'absence de Marie-Cécile.

— Elle est allée cueillir des prunes avec Suzon, mentis-je. Elles ne vont pas tarder.

— Elle va se gâter le teint et les mains à faire le travail des paysans ! Elle a changé depuis quelque temps... je ne voudrais pas qu'elle oublie son rang. Quelle mouche l'a piquée de vouloir devenir dentellière !

— C'est qu'elle trouve que l'art de la dentelle est le plus beau et le plus noble.

— Quand on la porte, ma fille, point quand on la fabrique ! Enfin, cet enfantillage lui passera vite ! En attendant votre sœur, poursuivez la lecture du *Mémorial de la vie chrétienne* que nous avions commencée ensemble.

Je montai dans ma chambre, mais je n'ouvris point le livre. Je m'allongeai sur le lit et mille pensées vinrent tournoyer dans mon esprit.

Être promise si jeune à un gentilhomme inconnu me terrorisait et aussi me rassurait : je ne subirais point le déshonneur de rester fille et je ne finirais point mes jours entre les murs d'un couvent. Mais qu'adviendrait-il de moi si ce gentilhomme se révélait être un soudard coureur de jupons, doublé d'un joueur invétéré dépensant tout notre avoir ?

En même temps, j'avais l'impression d'entrer enfin dans le monde des adultes. J'aurais bientôt une maison à tenir, des domestiques, je pourrais organiser des soirées, des bals, me vêtir selon mon goût, porter perruque, bijoux, dentelles, rubans...

Marie-Cécile revint enfin, heureuse et babillante :

— Alors, tu as bien choisi ?

— Mère m'a guidée.

— As-tu retenu une belle dentelle en point d'Alençon pour orner les manches de ta chemise ?

— On ne m'en a point proposé.

— Quel dommage. Sans dentelle, une robe manque de vie. Il te faut absolument un ornement de dentelle. J'en parlerai à mère. L'atelier de Mme Coulon pourrait t'en confectionner un.

— Je crains fort que la dentelle ne soit trop onéreuse pour la bourse de nos parents.

— Il est vrai que nous travaillons surtout pour la famille royale. Oh, tu as entendu, j'ai dit « nous ». Je me sens une véritable vélineuse, alors que je ne maîtrise encore que la trace...

Consciente qu'elle s'engageait dans une voie réprouvée par nos parents, je tentai de la raisonner :

— Ne rêve pas trop, mon amie. Que la dentelle te plaise, j'en conviens. Que cela t'amuse d'apprendre quelques points, je le conçois, mais jamais mère n'acceptera que tu travailles dans un atelier, ce serait déchoir. Je l'entends encore dire : « Une demoiselle de qualité ne travaille pas. Elle tient son rang, reçoit, dirige sa maison et donne des enfants à son époux. »

La joie de Marie-Cécile s'éteignit d'un coup. Son visage se ferma et elle contint à grand-peine les larmes qui lui montaient aux yeux.

Je m'en voulus d'avoir cassé son rêve, mais il me semblait trop cruel de la laisser s'engager dans cette voie sans la mettre en garde.

Le grand jour arriva.

J'avais fort mal dormi. Des cauchemars m'avaient assaillie. Je me voyais au bras d'un vieux barbon bossu, la perruque pleine de vers, me criant des insultes.

Au matin, devant ma mine défaite, mère s'exclama :

— C'est avec ce teint gris et ces yeux battus que vous comptez plaire à votre promis ?

— Je ne veux point lui plaire, au contraire, j'espère lui déplaire au point qu'il fuira le plus loin possible.

— Voyons, soyez raisonnable. Je vous ai déjà expliqué notre situation et...

— J'ai compris mère. Je ne souhaite pas vous mettre dans l'embarras et, puisqu'il le faut, je serai raisonnable.

Je ne fis rien de la matinée. Mon esprit était tout entier occupé par la perspective de rencontrer mon promis. Les plaisanteries de Marie-Cécile ne m'arrachèrent même pas un souris.

Vint le moment de me préparer. Suzon remplit un baquet d'eau tiède, dans lequel elle me savonna, puis après m'avoir séchée dans un drap, elle m'enduisit le corps de l'huile parfumée habituellement réservée à ma mère. C'était à la fois agréable et gênant. J'avais l'impression que l'on cherchait à m'apprêter comme une vache que l'on va vendre à la foire. Suzon, ma mère et ma sœur tournaient autour de moi. L'une voulait ajouter un ruban, l'autre en retirer un, l'une souhaitait que des boucles encadrent mon visage quand l'autre suggérait que mes cheveux soient sagement attachés en bandeau pour cacher mes oreilles. Ma nervosité augmentait de minute en minute.

— Une de nos dentelles aurait fait merveille sur ton encolure, déclara Marie-Cécile.

Mère lui lança un regard courroucé. Je crus qu'elle allait répondre vertement à ma sœur, mais elle se contint, recula un peu, pencha la tête et assura :

— C'est parfait ainsi.

Puis elle me fit ses dernières recommandations :

— Vous garderez le regard baissé comme il sied à une demoiselle de votre âge et vous ne parlerez que si M. Ruault de La Bonnerie vous interroge. Dans ce cas, soyez brève sans être sèche. Et si possible, souriez, sans toutefois avoir l'air niais. Gabriel, qui, on me l'a assuré, a reçu une excellente éducation ne vous adressera point la parole. Évitez de le dévisager et...

— Je sais tout cela, mère, coupai-je un rien agacée. Vous me l'avez déjà répété cent fois !

— C'est que je vous connais ! Vous êtes si vive... et votre éducation est loin d'être terminée... alors je ne voudrais pas qu'une maladresse de votre part fasse s'écrouler ce beau projet.

Quant à moi, j'espérais le contraire. Être fiancée à onze ans à un homme que je ne connaissais pas m'inquiétait. Cependant, pour ne pas peiner ma mère, je promis de me conformer en tout point à ce qu'elle avait décidé.

À la porte du salon, Marie-Cécile et Suzon nous laissèrent. Ma sœur me serra le bras en murmurant :

— Je suis de tout cœur avec toi.

Notre père était déjà dans la pièce. Il s'avança vers moi et me complimenta :

— Que vous êtes belle, ma fille !

J'étais si crispée que, pour le remercier, je ne pus lui accorder qu'un petit souris forcé.

— Allons, allons, me réconforta-t-il, vous n'allez pas boire la ciguë[1], mais rencontrer votre promis...

Il me serra contre lui et ajouta :

— C'est un gentil garçon.

Qu'en savait-il ? Sûrement ce que M. Ruault de La Bonnerie avait dit de son fils. Mais un père ne vante-t-il pas toujours son enfant ?

Dans quelques minutes, j'allais être fixée.

Nous n'attendîmes point longtemps. Les roues d'une voiture tressautant sur les pavés de notre cour attirèrent mon père à la fenêtre.

— Les voici. Parfaitement à l'heure, comme il sied à des gens de qualité.

Mère lissa d'un doigt l'une de mes boucles qui n'avait pourtant pas bougé, tapota le tissu de ma robe et me souffla :

— Tenez-vous droite.

Ce conseil était inutile, car l'angoisse me rendait aussi figée qu'une statue.

Gaston, notre homme à tout faire, qui avait, pour l'occasion, endossé sa livrée de majordome, introduisit les visiteurs en annonçant d'une voix solennelle qui m'aurait fait pouffer de rire en une autre occasion :

— M. Ruault de La Bonnerie et son fils M. Gabriel Ruault de La Bonnerie.

---

1. Allusion à Socrate que l'on a forcé à boire la ciguë, un poison mortel.

J'avais bien promis de garder les yeux baissés, mais la curiosité l'emporta et je les levai.

Le père, un homme volumineux, richement vêtu, la perruque bien poudrée s'avança vers ma mère et s'inclina sur la main qu'elle lui tendait, en lui débitant un compliment.

Derrière lui : son fils. Jeune, mince, blond, le visage éclairé par d'immenses yeux bleus ourlés de grands cils. J'étais si agréablement surprise que je dus rester bouche bée à le contempler un moment qui me parut durer une éternité. Puis, soudain consciente de mon impudeur, je baissai vitement le regard en rougissant. J'eus le temps d'apercevoir un souris narquois sur ses lèvres, ce qui me perturba grandement.

Se moquait-il de moi ? Ne me trouvait-il point à son goût ? Me jugeait-il trop jeune ?

La voix de M. Ruault de La Bonnerie me tira de mes réflexions :

— Voici donc cette demoiselle qui va sous peu entrer dans la prestigieuse Maison de Saint-Louis ?

Je lui accordais une petite révérence, la tête baissée.

— Si fait, ajouta ma mère, mais elle a déjà reçu une excellente éducation.

— Je n'en doute point.

— Comme je l'ai annoncé à M. de Pélissier, Gabriel qui va sur ses seize ans vient d'obtenir la charge d'officier de la fourrière. C'est une charge de bon rapport.

— Laissons ces affaires d'argent aux soins des notaires, susurra ma mère.

Puis, s'adressant à moi, elle me dit :

— Adélaïde, jouez-nous quelque chose.

J'avais répété une pièce de M. Lully pendant des heures et des heures. C'était la seule que je connaissais par cœur. J'avais même pensé jouer mal volontairement afin de faire fuir l'homme que l'on me destinait. À présent, je ne voulais surtout pas qu'il parte ! Je voulais qu'il m'admire, qu'il me trouve séduisante, gentille, et qu'il accepte de me prendre pour femme. Mes jambes flageolantes eurent du mal à me conduire devant le clavecin et mes mains tremblaient tant que je craignais qu'elles ne frappent pas les bonnes touches. Mais Dieu était avec moi, car j'interprétai la partition à la perfection ! M. Ruault de La Bonnerie eut la délicatesse de m'applaudir, et après qu'il eut lancé un regard à son fils, celui-ci daigna aussi m'applaudir. Mais il me parut que c'était sous la contrainte et j'en fus fort chagrine.

Suzon apporta un plateau contenant des liqueurs et du chocolat. Après avoir obtenu de ma mère l'autorisation de m'asseoir, je me posai le plus élégamment possible sur un ployant, essayant que mon pied droit, délicatement chaussé d'un soulier de satin, dépasse de ma jupe afin de laisser entrevoir un peu de ma personne. J'étais fort mal à l'aise, et lorsque Suzon me tendit ma tasse de chocolat en m'adressant un signe discret d'encouragement, je la repoussai de la main, car j'étais si nerveuse que je craignais de renverser le liquide brûlant sur ma jupe.

Toutefois, comme Gabriel était resté debout, je pus, aussi discrètement que possible, l'observer par-dessous. Et plus je l'observais, plus il me plaisait et plus je tremblais à l'idée de lui déplaire.

Mon père et M. de Ruault de La Bonnerie s'étaient retirés dans un angle de la pièce pour discuter. Ma mère, rêveuse, savourait son chocolat. Gabriel, son verre à la main, était impassible.

L'air me paraissait à la fois léger parce que j'étais heureuse que Gabriel ressemble à un prince charmant et lourd d'angoisse parce que lui ne semblait pas être content de devenir mon époux. J'avais hâte que cette rencontre se termine et à la fois j'aurais voulu qu'elle se prolonge à l'infini.

À dire vrai, je n'ai aucune conscience du temps qu'elle dura.

Tout à coup, M. Ruault de La Bonnerie annonça :

— Eh bien, voici le moment de prendre congé. Je vous remercie, madame, pour votre accueil chaleureux. Soyez assuré que j'aurai à cœur de mener à bien nos projets.

Et Ô miracle ! Gabriel, après avoir salué ma mère, s'inclina devant moi et me dit d'une voix... d'une voix chaude et grave :

— Je suis content, demoiselle, d'avoir fait votre connaissance.

Je sentis mon visage s'empourprer et, sans savoir s'il était bien séant que je réponde, je bredouillai :

— Moi de même... monsieur.

Marie-Cécile insista pour que je lui conte l'entrevue.

Je le fis le mieux possible tout en omettant de lui préciser que Gabriel était fort à mon goût. Je lui dis simplement qu'il avait seize ans. Et elle eut beau me piquer pour en savoir plus, j'éludai toutes ses questions. Je souhaitais garder pour moi seule cette émotion nouvelle, confuse et douce, qui me faisait vibrer.

Et puis, surtout, j'avais peur que mes sentiments ne soient pas partagés. Peut-être sitôt la porte de notre demeure franchie, Gabriel avait-il supplié son père d'annuler notre union ?

Je n'en dormis pas de la nuit.

Tantôt je me voyais, magnifiquement vêtue, dans une église fleurie au bras d'un Gabriel rayonnant.

Tantôt je me voyais finissant mes jours dans un couvent après que Gabriel eu rompu nos fiançailles.

J'avais craint d'être contrainte d'épouser l'homme choisi par mes parents. À présent, je craignais de ne jamais être heureuse si je ne l'épousais point. J'aurais voulu que notre mariage soit célébré dans le mois, alors que je devais attendre l'âge de vingt ans.

Neuf ans sans le voir ! C'était intolérable !

Quant à lui qui avait déjà seize ans, il était totalement improbable qu'il patiente si longtemps. Il y avait certainement des dizaines de jolies demoiselles moins ignares que moi dans les choses de l'amour et qui ne demandaient qu'à succomber à son charme.

J'aurais préféré ne jamais le rencontrer. Maintenant, comment allais-je pouvoir vivre sans connaître ses sentiments pour moi ?

Le trouble qui m'habitait influença mon humeur. J'étais tantôt joyeuse et rieuse, tantôt triste et taciturne. Je rabrouais Marie-Cécile lorsqu'elle me proposait un jeu et la minute d'après la suppliais de venir se promener.

— Hou, ironisait-elle, je plains Gabriel qui aura à te supporter !

— Lui, ce ne sera pas pareil...

— Et pourquoi donc ?

— Parce que... parce que... Oh, tu m'ennuies avec tes questions !

— Parce que tu es éprise de lui !

— Mais non, que vas-tu chercher !

Il me coûtait d'avouer mes sentiments.


Et puis, un après-dîner, trente et un jours exactement après ma rencontre avec Gabriel, mon père entra dans le salon.

Notre mère, Marie-Cécile et moi brodions le dos à la cheminée.

— Une place vient de se libérer à Saint-Cyr ! s'exclama-t-il en brandissant une lettre. Elle est pour vous, ma chère Adélaïde !

Une bouffée de chaleur m'empourpra, tandis que mes mains se mettaient à trembler. Ma mère se leva et, saisissant la missive, elle la lut et déclara :

— J'ai tellement prié pour que le Seigneur nous aide à établir nos filles ! Et voilà qu'il m'exauce en ouvrant les portes de cette royale maison à notre Adélaïde.

Elle se retourna vers moi :

— Ah, ma chère enfant, si vous savez vous montrer digne de la confiance que vous accordent Sa Majesté et Mme de Maintenon, vous ne serez plus jamais dans l'embarras. Et dès que vous serez dotée, vous épouserez Gabriel Ruault de La Bonnerie.

Alors, j'ignore quelle mouche me piqua, mais je demandai :

— M'aime-t-il ?

Ma mère me lança un regard interloqué. Elle sembla prête à suffoquer, chercha le secours de mon père, qui ne pipa mot et finit par lâcher du bout des lèvres :

— Quelle question ! Les sentiments ne sont pas indispensables entre gens de qualité. Et pour tout dire, l'amour n'est bon qu'à rompre l'harmonie des couples. Il est bien préférable d'éprouver de l'estime et de l'amitié pour son conjoint.

Puis, jugeant sans doute que le sujet ne donnait pas matière à discussion, mère rompit le discours :

— Montez dans votre chambre avec votre sœur. Votre père et moi allons organiser votre voyage.

Tout alla très vite. Trop, à mon goût.

Il semblait que la place vacante pouvait m'échapper si nous n'étions point assez rapides et comme nous n'avions même pas besoin de trousseau pour être admises à Saint-Cyr, ma mère considéra, dès le lendemain, que j'étais prête pour le voyage.

— Déjà ! m'alarmai-je.

— Retarder ce départ serait une grave erreur et puis, rien ne vous retient ici, argumenta ma mère.

Tout, au contraire, me retenait : la maison où j'avais grandi, le parc exploré si souvent, la douce Suzon, Barthélemy mon héros lointain, Marie-Cécile ma sœur, amie et complice, et mes parents dont la solidité me réconfortait. Et puis, je l'avoue, j'avais l'horrible sensation de m'éloigner de Gabriel.

L'inconnu que représentait Saint-Cyr m'inquiétait. Qu'allais-je trouver là-bas ? Allais-je m'habituer à vivre si loin de chez moi ? Si loin des miens ?

La nuit précédant mon départ, Marie-Cécile et moi avions beaucoup parlé et beaucoup pleuré aussi.

— Comme je vais m'ennuyer sans toi ! me dit-elle.

— Tu vas apprendre la dentelle et devenir la meilleure dentellière de la région, l'encourageai-je.

— Oh, j'aimerais tellement... mais je vais devoir employer tant de ruses pour y parvenir que le courage risque de me manquer. Et tu ne seras point là pour m'aider...

— Je te fais confiance, ma Marie-Cécile. Tu es pugnace. D'ici mon mariage tu auras franchi toutes les étapes et tu seras à même de me confectionner un superbe volant pour ma robe.

Son visage s'éclaira d'un souris. Elle renifla, me tapa dans la main et me dit :

— Pari tenu !

Nous nous endormîmes tard dans la nuit après nous être promis mille fois de nous écrire chaque semaine, de nous conter nos problèmes et nos joies et de n'avoir jamais de secrets l'une pour l'autre.

Au matin, la raison reprit le dessus, Marie-Cécile avait séché ses larmes et je réussis à me préparer calmement.

Je caressai du plat de la main la belle étoffe de la jupe que j'avais portée pour rencontrer Gabriel. J'eus du mal à l'abandonner. C'était, somme toute, le seul souvenir qui me resta de cette merveilleuse journée.

Suzon vint m'embrasser et baigna mon visage de ses larmes.

— Voyons, la gronda ma mère, cessez de larmoyer ! Le départ d'Adélaïde est une chance pour elle et non une calamité !

— Vous avez raison, madame, se reprit Suzon en s'essuyant les yeux avec le coin de son tablier, veuillez m'excuser. Bon courage, petite ! ajouta-t-elle pourtant.

Je serrai Marie-Cécile dans mes bras sans un mot. Nous nous étions déjà tout dit.

Mère à son tour me prit contre son sein et m'encouragea :

— Adélaïde, soyez sage et pieuse et faites honneur au nom que vous portez.

— Je ferai de mon mieux.

Gaston avait préparé notre calèche et pris place sur le siège du cocher. Mon père sortit de notre demeure un dossier à la main et lança :

— Vous êtes prête ? Alors, allons-y. Ne nous mettons pas en retard.

Il me tendit la main pour m'aider à monter dans la voiture, s'assit à mon côté et Gaston fit claquer son fouet.

La voiture s'ébranla. Je me retournai pour faire un signe à ceux que je laissais et embrasser du regard la demeure où j'avais grandi.

# 6

Avant d'arriver à Saint-Cyr, mon père tint à saluer une parente vivant à Paris.

— C'est une cousine de votre mère. Lorsqu'elles étaient enfants, elles étaient très proches... et puis la vie les a séparées. Émétine a épousé M. de La Ferté, un gentilhomme fortuné bien en vue à la Cour.

— N'est-ce pas lui qui s'occupe des animaux de la ménagerie de Versailles ?

— Si fait. Vous vous souvenez de lui ?

— Il est venu nous visiter lorsque j'étais enfant et il m'avait fort impressionnée en me parlant d'animaux fabuleux venant de pays lointains et qui vivaient maintenant dans un palais miniature de forme octogonale, que le roi avait fait construire pour eux dans le parc de Versailles.

— En effet. À présent, ni lui ni son épouse n'ont le temps de se rendre dans notre modeste logis de Normandie. Pourtant, ils acceptent de se porter caution pour nous, comme le règlement de la Maison Royale d'éducation l'exige. Ils s'engagent donc, à défaut de vos parents, à vous reprendre avant vos vingt ans si Mme la supérieure le demande.

— Comment cela se peut-il ?

— Le renvoi est prévu en cas de fautes graves ou d'indocilité de caractère. Cela, bien entendu, ne vous concerne pas, ma chère enfant. Mais nous devons tout de même nous plier à cette consigne. Nous allons donc remercier M. et Mme de La Ferté.

Après avoir traversé des rues encombrées et malodorantes, le cocher emprunta une avenue longeant la Seine et s'arrêta enfin devant un hôtel. Mon père m'aida à descendre de voiture et, me désignant la façade d'un palais à quelques pas de là, m'expliqua :

— Le Louvre, le château de nos rois.

Un majordome nous introduisit dans une pièce dont les murs étaient chargés de tableaux et de tapisserie en nous disant :

— Je vais prévenir Mme de La Ferté.

J'admirai le décor harmonieux de la pièce. Tout était dans les tons bordeaux : les tapisseries des fauteuils, des ployants, les tentures des fenêtres, les tapis couvrant le sol et les tapisseries d'Aubusson réchauffant les murs. Nous n'avions rien d'aussi luxueux dans notre maison de Séez. Je vis mon père pincer les lèvres. Était-ce de l'envie ou un rien de mépris ?

Tout à coup, la porte s'ouvrit. Une femme dans la fleur de l'âge entra dans un froufroutement de soie. Un parfum capiteux pénétra avec elle dans la pièce. Elle était resplendissante : sa jupe et son bustier étaient brodés de motifs argentés, ses cheveux parfaitement poudrés étaient remontés en boucles savantes retenues par des poinçons d'argent et de perles.

— Ah, enfin, vous vous décidez à me rendre visite ! s'exclama-t-elle.

Elle tendit à mon père sa main droite ornée d'un énorme rubis. Il s'inclina assez gauchement. Elle poursuivit en me regardant :

— Et voici donc Adélaïde qui va entrer à Saint-Cyr.

Je lui fis une petite révérence.

— Charmante ! Charmante ! minauda-t-elle. Je n'ai point de temps à vous accorder, car je suis attendue à Versailles. Oh, cette vie de Cour est épuisante... surtout lorsqu'on habite Paris... Les allers et retours en calèche sont éprouvants... J'espère que bientôt nous aurons un logement à Versailles. Hélas, il y a des centaines de gentilshommes qui intriguent auprès de M. Nyert, premier valet de chambre de

Sa Majesté, qui attribue les logements. C'est à celui qui lui glissera le plus gros pot de vin... M. de La Ferté n'est pas en reste, bien sûr... M. Nyert nous a déjà proposé deux pièces fort incommodes dans les communs... Rendez-vous compte : dans les communs ! Ce serait vraiment déchoir...

— Certes, lâcha mon père.

— Eh bien, je me sauve... il ne manquerait plus que je sois en retard pour la promenade de Sa Majesté dans les jardins...

— Nous tenions à vous remercier pour...

Elle fit un geste qui voulait dire « broutilles que tout cela », s'approcha de la porte, puis se retourna avant de la franchir et lança :

— Vous savez que vous pouvez compter sur moi.

— Certes, répéta mon père, abasourdi par la pétulance de cette cousine.

Nous nous retrouvâmes dans la rue, à peine vingt minutes après l'avoir quittée.

Dans la calèche, mon père me dit :

— Elle a un tempérament assez... vif. Mais votre mère a une tendresse particulière pour cette cousine et je suis certain que si un jour vous avez un souci, elle vous aidera plus rapidement que nous qui sommes à des centaines de lieues.

Le silence s'installa entre nous. J'imaginais que si le destin l'avait voulu, ma mère aurait pu être à la place de Mme de La Ferté... nous serions riches, aurions nos entrées à la Cour et je ne serais pas obligée de vivre pendant neuf ans loin de ma famille. Mon père avait un air de chien battu. Je m'étais bien rendu compte que, habitué à la vie simple et calme de notre Normandie, il s'était senti dévalorisé par cette femme qui semblait être à l'aise dans toutes les situations. Soudain, il pointa l'index vers un bâtiment à demi caché par un bois :

— La Maison Royale d'éducation ! annonça-t-il.

Gaston arrêta notre voiture dans la première cour et nous descendîmes :

— Quel magnifique bâtiment ! s'extasia mon père.

Il l'était, en effet, mais j'avais le cœur trop chaviré pour l'admirer.

Pourtant, du jardin me parvenaient des rires de fillette et d'une des pièces s'échappait un chant religieux fort harmonieux.

Comprenant sans doute mon angoisse, mon père ajouta en me saisissant la main :

— Vous serez très bien, ici.

— Certainement, répondis-je pour ne point le fâcher.

Mme de Brinon, la supérieure, vint nous accueillir.

— Je vous souhaite la bienvenue dans notre maison, mademoiselle.

Puis s'adressant à mon père, elle poursuivit :

— Vous pouvez regagner la Normandie, monsieur de Pélissier, nous prendrons soin de votre fille.

Je pense que mon père avait espéré visiter la maison avec moi. Cependant, il n'osa aller contre la volonté de la supérieure et il bredouilla :

— Oui. Je vous remercie. Eh bien... Adieu, ma fille. Portez-vous bien et... que Dieu vous protège...

Je ne pus même pas regarder s'éloigner la calèche et faire un signe de la main, car la supérieure me dit, en posant une main sur mon épaule :

— Venez dans mon bureau, je vous lirai notre règlement.

Je la suivis. Nous pénétrâmes dans le bâtiment et nous empruntâmes un large escalier orné d'une magnifique rampe de fer forgé.

— C'est l'escalier d'honneur, m'apprit la supérieure. Vous vous en servirez rarement. Dix autres escaliers relient les étages entre eux. Ainsi, en cas d'incendie, tout le monde peut sortir rapidement.

Son bureau était situé au premier étage au bout d'un corridor qui me parut fort long, mais point sombre, car il était pourvu de nombreuses fenêtres.

J'y pénétrai à sa suite.

Il était meublé d'une table, d'un fauteuil et d'une bibliothèque. Un grand crucifix était fixé au mur.

Debout, j'écoutai la lecture du règlement. Ma gorge se noua lorsque Mme de Brinon annonça que nous n'avions droit qu'à quatre visites par an et uniquement durant les huit jours suivant Noël, Pâques, Pentecôte et la Toussaint. Aussitôt, je me mis à compter les jours qui me séparaient de la fête la plus proche. J'espérai que mes parents, ma sœur, mon frère et peut-être même Gabriel me rendraient visite.

Enfin, elle me remit un couvert en argent comprenant une cuiller, une fourchette, un couteau et un gobelet, en me disant :

— Ils sont à vous. Prenez-en soin. Après le repas, vous les rangerez dans les deux armoires placées à cet effet de chaque côté de la porte du réfectoire.

Elle me tendit ensuite un étui contenant un peigne de corne.

— Il vous suivra tout au long de votre vie à Saint-Cyr. Mais vous le laisserez avec le couvert, en quittant cette maison.

Je la remerciai.

— Venez, poursuivit-elle, je vais vous conduire à la roberie pour y recevoir vos vêtements.

Nous empruntâmes un escalier pour descendre au rez-de-chaussée, puis nous franchîmes une porte monumentale qui donnait dans une cour carrée que nous traversâmes pour entrer dans un autre bâtiment. La supérieure marchait d'un pas régulier, sans se retourner vers moi et sans m'adresser la parole. Nous pénétrâmes enfin dans une pièce éclairée par de hautes fenêtres. Une odeur de linge frais, de savon me chatouilla agréablement les narines. Des dames vêtues de robes bleues et d'autres de robes noires repassaient du linge qu'elles empilaient bien régulièrement sur des tables.

— Adélaïde de Pélissier nous arrive de Normandie, veuillez lui remettre son linge.

Une dame passa dans la pièce voisine et, par la porte ouverte, je vis que les murs étaient entièrement occupés par d'énormes armoires. La dame s'affaira quelques minutes et revint les bras chargés de vêtements. Elle les posa sur une table et compta devant la supérieure ce qu'elle me donnait :

— Six chemises, six cornettes, deux bonnets piqués, six mouchoirs, six paires de chaussettes, six paires de chaussons, deux tabliers, un habit d'étamine brune, un corps, deux jupes en toile, deux paires de bas blancs, une paire de souliers en veau blanc, une coiffe de taffetas, une paire de gants, une paire de mitaines.

— Ils sont à vous. Prenez-en soin, répéta-t-elle. Évitez de les salir, de les endommager et de les user prématurément. Une jupe tachée, un jupon déchiré, des bas troués ne sont pas dignes de notre maison.

— Oui, madame, dis-je d'une voix à peine audible, tant j'étais abasourdie.

— Mademoiselle Dudevant, ordonna-t-elle à une jeune fille toute de bleu vêtue, une croix d'argent pendant à son cou, accompagnez donc Mlle de Pélissier au dortoir pour qu'elle se change. Puis vous la conduirez à la chapelle pour les vêpres.

— Bien, madame, répondit la jeune fille.

Je suivis la demoiselle. Elle devait avoir dix-huit ans. Je l'enviais. Dans deux ans, elle quitterait la maison avec trois mille livres de dot. Il faudrait que j'attende neuf ans avant de connaître le même sort et d'épouser Gabriel. Cela me sembla tout à coup au-delà de mes forces et je trébuchai sur la première marche de l'escalier conduisant au dortoir.

# 7

J'éprouvai des difficultés à me plier aux règles strictes de Saint-Cyr.

Me lever à six heures, réciter la prière à genoux, me coiffer, m'habiller promptement, me rendre en rang et en silence dans une classe pour prier encore pendant une demi-heure, puis rejoindre le réfectoire en procession pour le déjeuner fut une épreuve.

Pas un instant, nous n'étions livrées à nous-mêmes pour penser à notre famille, nous promener seules, rêver à notre avenir ou tout simplement ne rien faire.

J'étais élève dans la classe verte réservée aux demoiselles de onze à quatorze ans, nous étions soixante. Notre maîtresse principale était Marie-Marthe du Tourp, la sous-maîtresse Catherine de

Berval, elle-même assistée par deux maîtresses subalternes. Ces deux dernières étaient des demoiselles de la classe bleue méritantes et récompensées par un ruban couleur feu.

Nous étions divisées en six bandes de dix élèves. Chaque bande possédait une chef de bande : l'élève la plus obéissante et la plus appliquée. Elle portait fièrement à son cou une croix d'argent. Elle était assistée d'une aide et d'une suppléante.

Les bandes étaient de niveaux différents : inférieur, moyen, supérieur, et chacune, grâce à son travail, sa sagesse, sa piété, pouvait changer de niveau.

Je n'étais point habituée à travailler pour obtenir cette sorte de récompense. C'est notre mère qui nous avait enseigné à ma sœur et moi le peu que nous savions et elle le faisait lorsque nous en avions envie, une heure par-ci, une heure par-là entre deux moments de jeu, de promenade ou de bavardage.

J'étais dans la bande composée de Charlotte de Lestrange, Gertrude de Crémainville, Isabeau de Marsanne, Rosalie de Forban-Gardanne, Hortense de Kermenet, Louise de Maisonblanche, Olympe de Bragard, Éléonore de Préault-Aubeterre, Henriette de Pusay, Jeanne de Montesquiou.

J'appris que je prenais la place de Catherine de Montmorant morte durant l'hiver d'une fièvre tierce ayant emporté plusieurs pensionnaires de la maison.

Les autres se connaissaient déjà bien (la plupart avaient été ensemble dans la classe rouge), elles me virent un peu comme une intruse. Lorsque j'arrivai, elles étaient encore bouleversées par la disparition de leur amie.

Dans le dortoir, nos lits étaient dans la même rangée.

Après que notre maîtresse se fut couchée, j'apercevais Hortense et Isabeau se glisser dans le lit de Charlotte. Je surprenais parfois quelques bribes de leur conversation et j'entendais leurs rires étouffés.

Mais elles ne m'invitèrent jamais à leurs conciliabules et je n'eus jamais l'audace de m'imposer.

En fait, je me sentais différente de toutes ces filles.

Lors des récréations, elles jouaient à des jeux puérils qui ne me distrayaient plus : billes, osselets, trou-madame. J'avais aussi de la peine à me concentrer durant les heures d'étude, l'apprentissage des chants religieux et la prière. Mon esprit s'évadait malgré moi pour imaginer ce que faisait Gabriel au même moment. Plusieurs fois, notre maîtresse me reprit, et d'autres fois encore, Isabeau, la chef de bande, me donna quelques coups de coude discrets pour que je reprenne l'aiguille abandonnée sur ma broderie. Je la remerciais d'un souris. Isabeau était une excellente élève, douce et attentive. Elle aurait pu devenir mon amie, mais je craignis, en lui exposant mes soucis, qu'elle ne me juge trop frivole. Aussi, je lui dis simplement :

— J'ai toujours eu du mal à rester attentive.

— Cela viendra avec le temps, m'assura-t-elle.

J'étais persuadée d'être la seule de la classe verte à avoir enfoui au plus profond de moi ce sentiment délicieux et angoissant. J'avais l'impression de quitter définitivement l'enfance pour mettre un pied dans le monde des adultes, et mes camarades, qui s'amusaient devant moi, étaient à cent lieues de mes préoccupations.

Une nuit où je ne trouvais point le sommeil, je m'efforçais de me changer les idées en essayant de saisir les mots s'échappant du lit dans lequel Isabeau, Hortense et Charlotte s'étaient une nouvelle fois réunies. Je compris que Charlotte était arrivée dans la classe verte peu de temps avant moi et qu'elle était fiancée à son cousin François. La similitude de nos situations fit que j'éprouvai aussitôt de la sympathie pour elle. Je me promis donc de tenter de me rapprocher d'elle.

Ce fut difficile.

Quand venait l'heure de broderie, je m'assis plusieurs fois à son côté autour de la table. Elle était fort malhabile et je l'aidais de mon mieux.

— La broderie est bonne pour celles qui veulent prendre le voile ou passer leur temps assises près de la cheminée. Ce n'est pas mon cas ! me rétorqua-t-elle un jour.

Je m'abstins donc de la conseiller.

Lorsque nous apprîmes le menuet, je me proposais pour être son cavalier. Je me trompai plusieurs fois dans les pas, elle m'écrasa une fois ou deux le pied, et nous rîmes de concert.

Mais Charlotte gardait cette attitude un peu hautaine, un peu rebelle qui empêcha notre amitié de se développer.

# 8

Les jours passèrent. Les semaines s'ajoutèrent aux semaines. Les mois aux mois...

Le temps s'écoulait, monotone. Il n'y avait aucun imprévu dans notre vie. Tout était immuablement réglé. De petites joies venaient rompre notre ennui : la visite du roi que nous devions honorer par des chants à sa gloire répétés pendant des heures. La visite de quelques dames de la Cour, à qui nous offrions, avec notre plus beau compliment, des fleurs fraîchement coupées dans le parc. La remise des récompenses aux plus méritantes par Mme de Maintenon en personne : nouveau ruban pour agrémenter notre robe, gants parfumés, boîte pour la poudre à cheveux...

J'eus le privilège de recevoir de sa main, devant toutes les demoiselles de la maison réunies dans la Cour Royale, un nouveau ruban vert à coudre sur ma robe, car j'avais fait preuve d'application et d'un bon esprit de camaraderie. Ma mère aurait été fière de me voir ainsi distinguée. Quel dommage qu'elle n'ait pu assister à cette petite cérémonie !

Malgré un temps particulièrement froidureux et des routes enneigées, mes parents et ma sœur étaient venus me rendre visite après la Noël. La perspective de les revoir m'avait emplie de joie et durant la messe de minuit j'avais chanté à pleins poumons la naissance de notre Sauveur. Ils allaient m'apporter un peu de notre maison, un peu de Normandie, un peu de courage pour continuer, leur tendresse aussi, l'assurance qu'ils ne m'oubliaient pas et que mes fiançailles avec Gabriel étaient toujours en bonne voie.

Une heure seulement nous était accordée dans un parloir surchargé d'autres visiteurs tandis que des familles attendaient leur tour dans le couloir.

L'idée de passer un si bref instant avec mes parents, alors que j'espérais leur venue depuis de longs mois, me désola, et avant même de les voir, j'appréhendai le moment de notre séparation.

Pour la circonstance, Marie-Cécile arborait un bustier et une jupe neuve et je vis au regard qu'elle me porta que ma mise fort simple la décevait.

Toujours aussi joyeuse et spontanée, elle se pendit à mon cou et en profita pour me glisser à l'oreille :

— Je viens d'apprendre l'étape suivante et je me débrouille fort bien.

Ma mère me serra contre elle et mon père me baisa le front, puis nous parlâmes à voix basse afin de ne point gêner les autres :

— Comment vous portez-vous ? s'informa ma mère.

— Bien.

— Te plais-tu dans cette maison ? me questionna ma sœur sans doute saisie par l'atmosphère austère se dégageant des murs.

Je lui fis la réponse qu'elle espérait :

— Oui.

— Donnez-vous satisfaction à votre maîtresse ? s'enquit ma mère.

— Parfaitement. J'ai été récompensée par Mme de Maintenon en personne.

— Ah, tant mieux. Souvenez-vous que vous devez toujours faire honneur à votre nom, me dit mon père.

Cette conversation banale me glaça.

À dire vrai, je ne sais pas ce que j'avais espéré... mais certainement pas ces mots de convenance. Mes parents me paraissaient étrangers à mes préoccupations. Non seulement la distance nous séparait, mais notre mode de vie était si différent qu'ils ne pouvaient le comprendre.

L'heure s'écoula, ponctuée de silences. Après l'euphorie de nos retrouvailles, Marie-Cécile semblait statufiée, mesurant peut-être la chance d'avoir toute sa liberté et craignant d'entrer à son tour dans cette maison.

J'ai honte d'avouer que j'avais hâte de les voir partir.

Puisqu'il m'était impossible de retrouver la vie insouciante et heureuse que j'avais avec eux en Normandie, je préférais que leur présence ne me la rappelle point.

Encore quelques minutes et la sœur tourière allait agiter la cloche annonçant la fin de l'entretien, alors je me risquai :

— Avez-vous de bonnes nouvelles de... de M. Ruault de La Bonnerie ?

— Pourquoi voudriez-vous que nous en ayons ? s'étonna mon père. Notre affaire est conclue entre gens d'honneur. Vous n'avez point à vous en soucier.

Je ne répondis point, mais justement, cette affaire comme disait mon père, c'était « mon » affaire dont dépendait mon bonheur, et non seulement je m'en souciais, mais elle me dévorait l'esprit et le cœur. Expliquer cela à mes parents aurait été totalement incongru.

Lorsque la cloche retentit, Marie-Cécile se jeta à nouveau dans mes bras en essuyant furtivement une larme. Ma mère me serra contre elle et mon père effleura mon front de ses lèvres.

— Nous reviendrons pour la Pentecôte, m'affirma ma mère.

— À bientôt, dis-je.

Je quittai le parloir par une autre porte et, dès que je me retrouvai dans le couloir, je fondis en larmes. Hortense et Isabeau qui revenaient de l'infirmerie où elles avaient distrait quelques instants les petites malades de la classe rouge me réconfortèrent :

— Ne pleurez point, Adélaïde, me dit Hortense, vous avez une grande chance d'avoir vu vos parents, mon père n'a jamais pu venir jusqu'à Saint-Cyr.

— Quant à moi, la Provence est bien trop loin pour que mes parents entreprennent le voyage.

Je les plaignis avec sincérité sans leur avouer que c'était la déception qui me faisait pleurer. Cependant je sentis dans leur compassion la preuve d'une véritable amitié. Chacune me prit une main et ensemble nous regagnâmes notre classe.

# CHAPITRE

# 9

Après trois ans dans la classe verte, ayant atteint l'âge de quatorze ans révolus, je fus admise, avec toutes celles de ma bande, dans la classe jaune. Catherine du Pérou devint notre maîtresse principale. J'en étais contente, car toutes les jaunes affirmaient qu'elle était douce et gentille.

Curieusement, ces trois années avaient passé vite. Je ne parviens pas à l'expliquer. Si je regarde dans le détail, rien n'est venu perturber l'alignement immuable des jours. Nous avions un emploi du temps si minuté que, n'ayant aucun moment de vacuité, nous ne pouvions point nous ennuyer.

D'ailleurs, c'était une des règles dictées par Mme de Maintenon, que l'on nous lisait souvent en début de journée : « Il faut aimer le travail, car il calme les passions, il occupe l'esprit et fait même passer le temps agréablement. »

Et qu'avais-je appris durant ces années ?

À bien me comporter en public, c'est-à-dire à parler en prononçant correctement les mots, à converser, à discuter, mais aussi à écouter. À lire correctement, sans accent, mais en mettant l'intonation afin d'être une bonne lectrice si l'occasion se présentait. À peigner, coiffer et farder pour le cas où le destin me conduirait à servir une dame de qualité. (Cet apprentissage donna lieu à des séances fort distrayantes.) À faire les quatre additions afin de tenir correctement les comptes de ma maison. (Le calcul n'avait pas mes faveurs.) À écrire en formant bien les lettres et en suivant les règles de l'orthographe. À savoir me faire obéir et respecter de mes domestiques, mais aussi à ménager leur travail et à leur témoigner de la bonté.

Je me perfectionnais en broderie et en tapisserie. Nous cousions dans de la toile fine que nous ornions parfois d'un motif de fleurs de petits sachets de senteur, que Mme de Maintenon appréciait particulièrement. Dans ces sachets, nous enfermions des herbes récoltées dans le jardin de simples, puis longuement séchées au soleil : marjolaine, thym, lavande, œillets. Cette activité était fort plaisante. Jeanne y excellait :

— J'aime, nous assurait-elle, mélanger les différentes plantes, en modifier les proportions, afin d'obtenir pour chaque sachet une senteur différente.

La dame apothicaire qui nous dirigeait n'appréciait point trop les libertés de Jeanne et nous serinait :

— Mettez toujours la même quantité d'herbe de chaque espèce dans les sachets. Il faut qu'ils soient rigoureusement identiques.

Jeanne soupirait, obéissait quelques minutes, puis continuait à agir selon son idée, ce qui nous distrayait beaucoup. Les sachets qu'elle confectionnait étaient souvent plus agréables que les nôtres.

Nous avions aussi des leçons sur l'histoire de France, de l'Antiquité et des nations étrangères. Les exploits des rois et des seigneurs me passionnaient.

Je savais qu'en classe jaune s'ajouteraient la géographie et la science, mais qu'il faudrait attendre d'être en classe bleue pour étudier la chimie, la botanique et un peu de médecine.

Mme de Maintenon nous affirmait qu'en quittant Saint-Cyr à vingt ans avec la dot du roi, nous serions à même de tenir à la perfection les rôles d'épouse, d'intendante et de gouvernante des enfants.

C'est ce que j'espérais de tout mon être. Car, les trois ans qui venaient de s'écouler ne m'avaient pas fait oublier Gabriel. Au contraire, mon inclination pour lui s'était renforcée et il n'était pas un jour, pas un instant où je ne pensais à lui. Les demoiselles de ma bande devaient me juger distante, mais mon esprit était tout entier pris par Gabriel et le peu de lucidité qu'il me restât, je l'utilisais pour retenir ce que l'on nous enseignait. De ce fait, je ne me liai avec aucune en particulier. Je regrettais cet état de solitude dans lequel je m'enfermais sans parvenir à m'en départir.

Mes parents et ma sœur étaient venus me voir régulièrement deux fois l'an. La perspective de ces visites me réjouissait et j'étais toujours fort déçue. Une heure à parler de banalités m'éprouvait plus que leur absence. Marie-Cécile s'arrangeait cependant pour me glisser quelques mots sur son apprentissage. Elle progressait rapidement et j'en étais heureuse pour elle. Pourtant, je redoutais le jour où mes parents découvriraient que leur fille s'initiait à la dentelle, mêlée à des filles du peuple, dans un bureau de point !

Je demandais chaque fois des nouvelles de Gabriel, espérant qu'il aurait donné à mes parents un message à me transmettre, ou au moins que son père leur aurait dit : « Assurez mademoiselle votre fille que mon fils attend avec impatience de la revoir. » Rien de tel. Mon père prétendait que tout était normal. Mais l'angoisse me rongeait.

Je ne sais pourquoi, un mauvais pressentiment venait de temps à autre m'empêcher de dormir :

Gabriel se moquait du feu qu'il avait allumé en moi et de la parole que nos parents avaient échangée pour sceller notre union. Mais ne voulant point fâcher son père, il laissait couler les années en espérant peut-être que mes parents changeraient d'avis, à moins... (et là, c'était le plus cruel de mes cauchemars) qu'il n'espère ma mort avant que je n'atteigne mes vingt ans.

Et puis, à la fin de l'année 1688, il y eut *Esther.*
Comment décrire ce souffle de nouveauté, de liberté qui secoua notre classe ?
Nous avions déjà déclamé *Les Conversations* de Mlle de Scudéry, des fables de M. de La Fontaine afin d'améliorer notre diction et d'ôter aux plus timides la crainte de parler en public. Nous avions aussi joué de petites pièces naïves écrites par Mme de Brinon, et dernièrement même, nous avions interprété quelques scènes d'*Andromaque.* Mais jamais nous n'avions imaginé être les comédiennes d'une pièce écrite spécialement pour nous par M. Racine.
Je n'étais pas vraiment attirée par le théâtre, je ne rêvais pas comme Charlotte de me produire devant la Cour, ni comme Olympe de devenir comédienne. Pour moi, c'était seulement l'occasion de rompre la monotonie de Saint-Cyr et d'extirper de mon esprit mes sombres pensées.

J'étais à présent persuadée que Gabriel ne voulait pas de moi, sinon il aurait trouvé un moyen de me manifester son attachement durant ces trois années. Mes parents, sans doute fort contrariés par l'annulation de la promesse de mariage contractée par M. de La Bonnerie et voulant m'épargner, ne m'en avaient point informée. Ils attendaient peut-être qu'un autre prétendant se présente pour m'épouser, à moins qu'ils n'envisagent mon entrée dans un couvent.

Lorsque M. Racine, en personne, vint nous lire la pièce, nous étions toutes fort émues qu'un si grand dramaturge ait consenti à se déplacer pour nous. Mme de Maintenon, qui l'avait accompagné, insista d'ailleurs sur la chance que nous avions de pouvoir interpréter un aussi beau texte.

Dès le lendemain, Mme du Pérou nous lut plusieurs scènes tandis que nous brodions, afin que nous saisissions bien le sens de la pièce et que nous nous imprégnions de l'atmosphère. Certaines d'entre nous arrêtèrent leur ouvrage pour s'imaginer dans tel ou tel rôle et je surpris plusieurs fois Charlotte le nez en l'air.

La nuit, je l'entendis longuement bavarder avec Isabeau et Hortense. Mais, cette fois encore, je n'osai me mêler à leurs conciliabules.

Cependant, une idée me vint. J'allais apprendre tous les rôles de la pièce. Ainsi, je serais sur un pied d'égalité avec Charlotte et ce serait peut-être l'occasion de nous rapprocher.

Malgré ma bonne volonté, j'avais du mal à retenir le texte.

— Tu n'as point une bonne mémoire, me lança Charlotte, après que j'eus récité assez mal une scène.

— En effet, tu es bien meilleure que moi !

— Je n'ai pas de mérite. J'ai une excellente mémoire et la volonté farouche de sortir des quatre murs de Saint-Cyr !

— Oh, moi, je n'ai aucune hâte à quitter cette maison si c'est pour me marier contre mon gré ou entrer dans un couvent.

— Je te comprends.

Enfin, après des semaines et des semaines de lecture, d'apprentissage, de répétitions, M. Racine et Mme de Maintenon se présentèrent à Saint-Cyr pour choisir celles qui joueraient la pièce. Nous passâmes une par une.

Je jouai de mon mieux les personnages que l'on m'attribua. Il m'aurait fort déplu d'ouïr une parole désobligeante sur ma prestation. M. Racine et Mme de Maintenon se retirèrent et promirent de nous donner vitement la liste des futures comédiennes.

L'excitation était à son comble parmi les demoiselles de la classe jaune et, je l'avoue, entraînée par les autres, j'attendis, moi aussi, fébrilement les résultats.

Trois jours plus tard, alors que la leçon d'arithmétique se terminait, Mme de Maintenon entra dans notre classe, une feuille à la main. Nous nous levâmes et lui fîmes une petite révérence, tout en échangeant quelques regards discrets et inquiets. La feuille contenait le nom des heureuses élues, nous en étions certaines.

Elle égrena dix patronymes, sans faire aucun commentaire. Il y eut quelques petits cris de joie vite étouffés, des soupirs aussi. Lorsque Mme de Maintenon prononça mon nom, je tâchai de demeurer impassible même si les battements de mon cœur s'accélérèrent. Je ne sais pourquoi, à cet instant, je pensai à la fierté qu'éprouveraient mes parents en entendant leur nom de la bouche de Mme de Maintenon.

Dès que notre protectrice eut quitté la pièce, notre classe se transforma en volière. Nous allions de l'une à l'autre pour nous féliciter, réconforter celles qui n'avaient point été choisies. Certaines riaient de leur bonne fortune, d'autres larmoyaient. Mlle du Pérou eut beau nous rappeler à l'ordre, nous ne l'entendions même pas !

Au début de décembre, nous étions prêtes pour la répétition générale.

Las, Mme de Maintenon, souffrante, ne put se rendre à Saint-Cyr. Elle invita donc ses comédiennes à venir lui présenter la pièce à Versailles.

Nous accueillîmes cette nouvelle diversement. Charlotte s'enthousiasma de sortir enfin de la prison de Saint-Cyr, Isabeau se réjouit de découvrir la beauté des jardins, Hortense s'affola à la perspective de quitter la protection de notre maison. Quant à moi, une fois de plus, je pensais à la fierté de mes parents lorsque je leur annoncerais que j'avais mis mes pas dans ceux de notre roi à Versailles.

J'étais loin de me douter de ce qui allait se passer !

Deux carrosses nous attendaient à la porte de Saint-Cyr. Le hasard voulut que je montasse dans celui où Hortense, Olympe, Isabeau et Charlotte avaient pris place. Et comme notre maîtresse était montée dans l'autre avec la suite de notre troupe, nous étions enfin libres de bavarder à notre aise.

Isabeau parla tout d'abord de Louise et les autres s'enflammèrent sur ce sujet. Comme le roi l'avait distinguée en lui caressant la joue, elles la soupçonnaient d'avoir un secret et l'envie de le découvrir les émoustillait. Charlotte et Hortense se disputèrent un moment. Elles avaient des tempéraments si opposés ! Pourtant, lorsque nous longeâmes le Grand Canal nous nous extasiâmes ensemble sur sa beauté.

Afin de participer à la conversation, je désignai un bâtiment octogonal et j'annonçai :

— Ce dôme est celui de la ménagerie.

Surprises par mes connaissances, mes compagnes m'interrogèrent :

— Un ami de mon père est en charge des animaux, leur répondis-je.

Mais il y avait tant de choses à découvrir que la conversation roula sur un autre sujet.

Quelques minutes plus tard, la voiture s'arrêta dans la Cour Royale. Mlle du Pérou descendit avec Louise, Gertrude, Éléonore et Henriette de l'autre carrosse, ouvrit notre portière et nous conseilla :

— Ne vous éloignez pas, mesdemoiselles, les appartements de Mme de Maintenon sont sur la droite.

Il y avait presse dans la cour : des gentilshommes, des dames accompagnées de leur époux, des mousquetaires. Tous reconnurent, à notre vêture, que nous étions des demoiselles de la Maison Royale d'éducation. Un mouvement se produisit pour nous voir de plus près. Un mousquetaire et un gentilhomme qui dialoguaient ensemble s'approchèrent :

— Ne sont-ce point les demoiselles de la Maison Royale ? demanda le gentilhomme.

Cette voix... Je connaissais cette voix. Je ne l'avais entendue qu'une seule fois voici trois ans, mais je ne l'avais point oubliée.

C'était la voix de Gabriel.

Mes oreilles bourdonnèrent, mes jambes flageolèrent. Ce n'était pourtant point le moment de tomber en pâmoison ! Mon esprit était en déroute. Que faire ? Cette chance qui s'offrait soudain à moi de pouvoir échanger quelques mots avec celui qui hantait mes nuits, comment la laisser s'échapper ? Je bousculai un peu Hortense qui, effarouchée, recula pour se réfugier derrière Mlle du Pérou. Je fis un pas pour sortir du groupe et je me plantai devant Gabriel. Oubliant toute pudeur, je le regardai droit dans les yeux. Naïvement, je me dis que s'il ne voulait plus de moi, il détournerait la tête et que, dans le cas contraire, il me prendrait les mains pour les embrasser.

— Adélaïde ! souffla-t-il.

— Avancez, mesdemoiselles, nous ordonna Mlle du Pérou, et ne vous arrêtez sous aucun prétexte.

Mes camarades se pressèrent et m'entraînèrent. Je butai contre Charlotte, arrêtée elle aussi au milieu de la cour. Je me retournai. Gabriel était resté planté au même endroit. Il ne me quittait pas des yeux, mais il n'avait pas fait un geste pour me retenir et, à part mon prénom, il n'avait prononcé aucune parole qui m'aurait donné un peu d'espoir.

J'étais bouleversée. J'avais envie de sourire et de pleurer, de fuir et de rester.

Pourtant, par un effort surhumain, je réussis à cacher mon trouble et à interpréter à peu près correctement le rôle de Zarès que M. Racine m'avait attribué. En fait, j'espérais qu'à la sortie de cette représentation Gabriel allait se placer sur mon chemin afin que nous puissions échanger quelques mots. Cette perspective me fit recouvrer mon sang-froid.

Lorsque nous montâmes dans les carrosses pour regagner Saint-Cyr, je fouillai du regard toute la cour et je passai plusieurs fois la tête par l'ouverture de la portière pour tenter d'apercevoir Gabriel. Je ne le vis point.

La déception et la colère me firent trembler. Le lâche ! Il n'avait même pas le courage de me dire en face qu'il ne voulait plus de moi !

Je pleurai toute la nuit, étouffant mes sanglots sous mon oreiller.

CHAPITRE

# 10

Durant les messes de Noël, je priai Dieu qu'il me donnât la force de renoncer à mon rêve de mariage avec Gabriel et qu'il m'accordât un autre époux point trop vieux.

Las, une lettre m'apprit que mes parents ne pourraient point me rendre visite. Ma mère souffrait d'un refroidissement qui lui occasionnait des toux violentes. Il est vrai que l'hiver était particulièrement rigoureux. De nombreuses demoiselles de notre maison étaient alitées à l'infirmerie, victimes de fièvres dues à l'humidité des lieux.

J'aurais eu tant besoin de leur présence pour me donner le courage de continuer à vivre à Saint-Cyr ! Mon père m'aurait parlé de l'honneur de son nom, ma mère m'aurait recommandé de bien me conduire pour mériter les éloges de Mme de Maintenon et Marie-Cécile m'aurait informée de ses progrès dans l'art de la dentelle.

Je me sentais abandonnée. Sans espérance. Il me vint même à l'esprit que le mieux pour moi serait de tomber malade et de me laisser mourir.

Heureusement, il y avait *Esther*.

Je me devais de continuer à jouer mon rôle afin de ne pas nuire à mes camarades, si contentes à la perspective de se produire devant le roi et la Cour. C'est ce qui m'empêcha de sombrer.

Je dois bien avouer que leur excitation me gagna, lorsque le 26 janvier, vêtues des costumes que le roi avait fait confectionner pour nous, nous guettions par un trou dans le rideau l'installation des spectateurs dans le théâtre improvisé de notre maison. Le roi se tenait à l'entrée de la pièce pour s'assurer que les personnes qui y pénétraient étaient bien invitées. J'avais ouï dire par Marthe de Caylus[1], qui interprétait « *le Prologue de la Piété* », que de nombreux courtisans intriguaient pour assister à ce divertissement.

Enfin, le roi vint s'asseoir à côté de Mme de Maintenon dans le fauteuil qui lui était réservé. Il tapa de sa canne sur le sol et Mme de Caylus se présenta sur la scène. Ensuite, tout s'enchaîna

1. Marguerite-Marthe Le Valois de Villette-Mursay (1672-1729) est la nièce de Mme de Maintenon. Elle a épousé à treize ans le marquis de Caylus.

parfaitement. Comédiennes et choristes firent de leur mieux. Le résultat fut certainement bon, car le roi, la famille royale, puis les courtisans applaudirent. Nous fûmes autorisées à quitter la scène pour faire notre révérence au souverain. Impressionnée, je m'y appliquai de mon mieux.

Ensuite, nous fûmes emportées par une sorte de tourbillon.

Des dames, des gentilshommes nous entourèrent pour nous féliciter à leur tour dans un joyeux brouhaha.

À part Charlotte, nous étions toutes un peu effarouchées par cette effervescence à laquelle nous n'étions point habituées. Pour nous soustraire à tous ces gens, Mlle du Pérou essayait de nous diriger vers la porte, mais il y avait tant de monde que nous n'avancions point.

Soudain, il fut devant moi.

— Adélaïde, souffla-t-il... enfin... J'ai craint de ne pouvoir vous approcher.

Il était si près que je n'osais lever les yeux sur lui.

— Il y a trois ans, vous n'étiez qu'une gamine sans... sans attrait. À présent, vous êtes... vous êtes...

— Mesdemoiselles ! cria la supérieure, suivez immédiatement votre maîtresse !

Puis s'adressant aux courtisans, elle leur dit :

— Je vous remercie de l'intérêt que vous manifestez pour le travail de nos élèves, mais je vous en prie, à présent, laissez ces jeunes filles regagner leur classe !

Je résistai au flot qui m'entraînait vers le couloir, je trébuchai. La main de Gabriel me retint en même temps qu'un papier crissa contre ma paume. Je fermai le poing. Je me retournai. Il me regarda en souriant.

Mme de Loubert me poussa un peu brutalement pour m'encourager à suivre les autres :

— Respectez les consignes, Adélaïde ! Il vous est interdit de parler à un quelconque gentilhomme.

— Je... je n'ai point ouvert la bouche, lui rétorquai-je.

— C'est ce que nous verrons ! me répondit-elle.

L'anxiété me saisit, car je compris au ton de sa voix qu'elle avait surpris le manège de Gabriel.

Nous montâmes dans le dortoir. Mes compagnes caquetaient comme des pies, riaient tout en s'entraidant pour quitter leurs bijoux et leurs habits de scène et revêtir leur tenue habituelle. Afin de pouvoir me servir de ma main droite, j'avais habilement glissé le billet de Gabriel entre ma peau et mon corps[1], qu'Isabeau se proposa de me lacer.

— Vous avez une mine bien chagrine ? s'étonna-t-elle.

— Je suis fatiguée.

1. Corset.

— Je le suis aussi : c'est trop d'animation pour nous qui sommes habituées au calme.

— C'est cela.

— J'ai entendu Mme de Caylus dire que nous jouons à nouveau dans trois jours !

— Trois jours ?

— Oh, ce sera suffisant pour que nous reprenions des forces, m'assura Isabeau.

Elle avait terminé de lacer mon corps et s'occupait à présent de celui d'Hortense.

Trois jours. Dans trois jours, j'allais revoir Gabriel. Car j'en étais maintenant persuadée. Il était venu assister à la représentation d'*Esther* pour me voir. Je l'avais lu dans ses yeux. Il avait des sentiments pour moi ! Je passai une main fiévreuse à l'endroit où j'avais caché sa lettre. Je devais attendre d'être seule dans mon lit pour, à la lueur de la lune, pouvoir le lire. J'en frissonnais de plaisir. Mon premier poulet[1] !

La cloche annonçant l'heure des vêpres retentit.

Nous nous rangeâmes par quatre et, en silence, nous descendîmes l'escalier à présent vide pour nous rendre à la chapelle. Peut-être Gabriel avait-il trouvé une feinte pour y être ? Oh, le revoir encore une minute...

Tout à coup, la supérieure arrêta notre marche, s'approcha de moi et me dit :

---

1. Billet doux.

— Suivez-moi, Adélaïde de Pélissier. J'ai à vous parler.

Je sus immédiatement de quoi il s'agissait. L'esprit en déroute, je lui emboîtai le pas. Elle referma la porte de son bureau, tendit la main vers moi en m'ordonnant :

— Donnez-moi cette lettre !

La première idée qui me vint : mentir.

Je pouvais jurer que je n'avais rien, ou encore inventer un conte en affirmant que le billet ne m'était pas destiné, que le damoiseau s'était trompé, que je l'avais perdu ou déchiré sans le lire...

J'hésitais.

— Donnez-moi cette lettre ! insista la supérieure.

— Je... je ne l'ai même pas lue.

— Tant mieux.

Sa main était toujours tendue. Son regard dur. Sa voix cassante. Je me sentis aussi coupable qu'une criminelle.

Je m'exécutai. Glissant les doigts dans l'échancrure de mon bustier, j'en tirai le billet et le lui remis.

Elle le déposa sur son bureau. Je le fixai tandis que mon regard se noyait de larmes contenues.

— Vous avez enfreint le règlement. Je vais en référer à Mme de Maintenon et nous prendrons la décision qui s'impose. En attendant, vous serez à l'isolement dans une des cellules de nos novices afin que vous ne semiez pas la mauvaise parole auprès de vos compagnes.

— Oh, madame, balbutiai-je, outrée que l'on puisse me prêter de si viles intentions.

— Une demoiselle qui accepte d'être courtisée par un inconnu devient vite une gourgandine si on ne la remet pas dans le droit chemin.

— Ce n'est point un inconnu. Il s'agit de Gabriel Ruault de La Bonnerie. Mes parents m'ont promis à lui l'année de mes onze ans.

— Ah, vous avouez ! s'exclama la supérieure.

Elle pinça les lèvres et ajouta :

— Eh bien, je gage que vos parents ne seront pas fiers d'apprendre la façon dont vous vous conduisez !

Il était inutile d'essayer de me disculper. Je soupirai et je suivis la novice qui, sur un coup de sonnette de la supérieure, venait d'entrer dans le bureau. Elle me conduisit au dernier étage où elle ouvrit la porte d'une petite pièce meublée d'un lit étroit et d'un prie-Dieu.

# 11

Je passai une fort mauvaise nuit.

Mille pensées contradictoires m'assaillaient.

La plus cruelle venait du fait que je ne savais pas ce que contenait le billet de Gabriel : me déclarait-il sa flamme ou m'annonçait-il qu'il rompait sa promesse ? Je m'étais laissé emporter par mes sentiments à son égard et j'avais cru lire l'amour dans ses yeux, mais j'étais si troublée d'avoir joué *Esther* devant le roi que j'avais pu me laisser berner.

Être punie parce qu'un gentilhomme était épris de moi, me paraissait incongru, mais le bonheur que cela me procurerait me le ferait accepter. Par contre, si ce billet m'apprenait qu'il renonçait à notre union, la punition serait insupportable.

En quoi allait-elle consister ?

Allais-je demeurer quelques jours, voire quelques semaines au pain sec et à l'eau après avoir reçu un blâme de Mme de Maintenon ?

Cela allait chagriner mes parents pour qui l'honneur de leur nom était, à défaut de fortune, la seule valeur importante. Mon père me reprocherait de ne point y avoir pensé avant d'agir si sottement. Ma mère me dirait que, par ma faute, aucun parti ne se présenterait plus pour moi et qu'aucun couvent n'accepterait une demoiselle qui avait semé le trouble dans la Maison Royale de Saint-Louis.

Je l'entendais gémir :

— Qu'allons-nous faire de toi ?

Épuisée par la crainte et le chagrin, je m'endormis sans doute, car le bruit que fit la porte en s'ouvrant m'éveilla.

Une novice me présenta un broc et un linge propre. Je retirai ma chemise de nuit, mon bonnet, et je me rinçai le visage et la bouche. Après quoi, elle m'aida à lacer mon corps. Tandis que je terminais mon habillement, elle m'encouragea :

— Priez et soyez forte.

Je me rendis compte avec stupeur que durant cette affreuse nuit j'avais pensé à Gabriel et à mes parents, mais pas un instant l'idée de prier Dieu ne m'était venue. J'en rougis de honte et je m'acquittai de cette dette en récitant mentalement le *Je vous salue Marie.*

Je suivis la novice jusqu'au bureau de la supérieure. Elle toqua à la porte, l'ouvrit et m'invita à entrer.

Mme de Maintenon était assise derrière le bureau. La supérieure et Mlle du Pérou étaient debout à côté d'elle.

J'étais la coupable. Elles étaient mes juges.

Je compris immédiatement que, quoi que je dise, j'étais condamnée.

— Ainsi, commença Mme de Maintenon, vous avez enfreint notre règlement en acceptant ce billet.

Je baissai la tête.

— Et quel billet ! s'exclama Mme de Loubert. Les mots employés ne sont point dignes d'un gentilhomme faisant pudiquement sa cour à sa promise. Ils sont... ils sont...

— Cela n'a aucune importance, coupa la marquise.

Oh, si, cela en avait.

Sans le vouloir, Mme de Loubert venait de lever le doute qui me torturait. Le message de Gabriel était donc une déclaration d'amour et non une lettre de rupture.

Un souris involontaire naquit sur mes lèvres.

— Voyez, l'impudente, qui ose sourire de ses fautes ! reprit Mme de Loubert.

Je ne l'écoutai pas.

Mon cœur tambourinait si fort qu'il menaçait de s'envoler, tandis que mon esprit me serinait : Il t'aime, il t'aime... Je vivais le moment le plus intense de ma vie. Aucun reproche ne pouvait m'atteindre.

Soudain, je pensai : « Si je suis renvoyée de Saint-Cyr ce jour d'hui, je pourrai épouser Gabriel sans attendre mes vingt ans ! »

Alors je levai crânement la tête, prête à entendre la sentence.

Je croisai le regard de Mme de Maintenon. Je lui trouvai un air faussement sévère. On aurait dit qu'il lui en coûtait d'appliquer si rigoureusement le règlement. Elle toussota et m'annonça :

— Mlle de Pélissier, j'envoie ce jour d'hui une lettre à vos parents pour les informer de notre décision. Pour l'heure, Mme de Loubert s'est préoccupée de retenir une calèche pour vous conduire à Paris chez votre cousine. Le montant de la course sera retenu sur les cent cinquante louis que le roi a la bonté de vous allouer afin de couvrir vos premiers frais.

J'étais si heureuse à l'idée de revoir bientôt Gabriel que je recouvrai ma voix :

— Je... je remercie Sa Majesté et vous-même, madame, et je remercie également Mlle du Pérou et Mme de Loubert pour tout ce qu'elles ont bien voulu m'apprendre.

— Nous regrettons votre départ. Vous nous donniez toute satisfaction, mais ce faux pas est impardonnable, ajouta Mme de Loubert.

Je me mordis la lèvre. J'aurais eu envie de lui dire que moi, je ne regrettais rien, puisque ce faux pas allait me conduire plus vitement vers le gentilhomme qui me faisait rêver depuis mes onze ans !

Durant le trajet de Saint-Cyr à Paris, j'eus hélas le temps de réfléchir. Le bonheur d'être aimée de Gabriel m'avait fait occulter qu'être chassée de Saint-Cyr était un grand déshonneur pour ma famille. Comment mes parents allaient-ils réagir ?

L'angoisse s'empara de moi et lorsque la calèche s'arrêta devant la maison de Mme de La Ferté, j'en descendis en tremblant. Elle aussi allait me sermonner. Peut-être même refuserait-elle de recevoir une demoiselle ayant déjà mauvaise réputation ?

Toute joie m'avait quittée et c'est la tête baissée, prête à me faire laver ma cornette[1], que le majordome m'introduisit dans le salon :

— Madame allait sortir, mais comme on vient de la prévenir de votre arrivée, elle vous attend, m'annonça-t-il.

---

1. Se faire réprimander.

— Ah, vous voici, petite cachottière ! s'exclama ma cousine.

Je m'étais si peu attendue à ce ton primesautier que je levai vers elle un regard interrogateur.

— Voyons, quittez cet air chagrin ! Être amoureuse n'est pas un péché bien grave... sauf à Saint-Cyr !

Elle rit de son bon mot, ce qui me rassura.

— On vient de me porter un courrier, signé de la main de Mme de Maintenon, m'indiquant en trois mots le motif de votre renvoi. Voilà une bien méchante punition pour une si petite faute ! Un billet doux ! La belle affaire ! Elle a bien dû en recevoir dans sa jeunesse, lorsqu'elle n'était encore que Françoise d'Aubigné. On raconte que, avant son mariage avec Scarron, le chevalier de Méré, épris d'elle, l'appelait sa jeune Indienne ! Las, maintenant qu'elle est l'épouse de Sa Majesté, elle renie sa jeunesse et voudrait que toutes les demoiselles renoncent au plaisir pour devenir des modèles de vertu !

Elle tapota du plat de la main la soie mordorée de sa jupe et s'assit dans l'un des fauteuils, m'invitant d'un geste à prendre place dans l'autre. Elle tira sur un cordon et une domestique se présenta :

— Apportez-nous du chocolat. Cette demoiselle en a bien besoin pour reprendre des forces.

Son attitude était des plus surprenantes. J'avais l'impression qu'elle invitait une amie à bavarder de sujets et d'autres sans que cela prête à conséquence. Je m'assis donc, moins angoissée qu'en arrivant.

— La vertu est si ennuyeuse ! déclara-t-elle en se penchant vers moi.

Je dus rougir à cet aveu, car elle se reprit :

— Seigneur ! J'oublie que je m'adresse à une demoiselle qui, enfermée depuis trois ans dans un quasi-couvent, ignore tout de la vie !

Elle garda un moment le silence, comme si elle réfléchissait aux mots qu'elle devait employer pour ne point me froisser, puis, n'ayant sans doute pas trouvé, elle reprit tout de gob[1] :

— Parlez-moi de ce jouvenceau qui s'est épris de vous.

Je n'avais point ouvert la bouche depuis mon arrivée. J'avais trouvé commode de la laisser discourir, d'autant qu'elle ne me jugeait pas sévèrement, mais paraissait me comprendre.

Il n'y avait rien à dire. Tout était si bref et si simple à la fois.

— Eh bien, il s'agit de Gabriel Ruault de La Bonnerie. Nos parents ont signé un engagement pour notre mariage juste avant mon entrée à Saint-Cyr. Grâce à la dot du roi que j'aurais obtenue l'année de mes vingt ans, nous nous serions mariés.

— C'est tout ! s'étonna-t-elle.

---

1. Brusquement. De là vient l'expression actuelle « tout de go ».

— Oui. Je ne l'ai vu que trois fois. La première j'avais à peine onze ans, puis je l'ai aperçu dans la cour de Versailles, et enfin, il m'a glissé un billet dans la main après la représentation d'*Esther*.

— Mais alors, il n'y a rien eu... entre vous ?

— Oh, non, madame. Je ne lui ai parlé que l'année de mes onze ans et encore en présence de nos parents.

Déçue que je ne lui narre pas une aventure plus palpitante, elle soupira.

— Voilà donc beaucoup de bruit pour rien.

Puis elle ajouta :

— Vous n'allez point me donner du « madame » puisque nous sommes parentes. Appelez-moi « tante », je dirai que vous êtes ma nièce, ce sera plus commode pour les présentations.

— Comme vous le souhaitez, mada... heu, ma tante.

La jeune domestique revint avec une chocolatière fort odorante. Elle versa le liquide brun dans deux tasses de faïence fine et disparut. L'odeur était si enivrante que, malgré moi, elle me fit saliver.

— Servez-vous ! m'ordonna ma tante. Il n'y a rien de meilleur que le chocolat pour redonner goût à la vie.

Elle but une gorgée et me lança :

— L'aimez-vous ?

Croyant qu'il s'agissait du chocolat, je trempai mes lèvres dans la tasse et j'assurai :

— Il est excellent.

Elle me dévisagea et éclata de rire :

— Je ne parlais point du chocolat, mais de ce jeune écervelé qui vous écrit !

Je rougis et, baissant les yeux, je murmurai :

— Je l'aime aussi.

— Mais alors, tout est pour le mieux ! On va vous marier et tout le monde sera content ! Les Ruault de La Bonnerie sont des aristocrates, et s'ils sont un peu désargentés, ce n'est que d'avoir servi la royauté avec beaucoup de zèle. Voici quelques mois, pendant un divertissement à la Cour, M. Ruault de La Bonnerie m'a présenté son fils : un parfait gentilhomme. J'étais loin de me douter qu'il allait bientôt faire partie de notre famille.

Cette fois, je souris franchement. En effet, c'était si simple !

Trop sans doute, car, après un moment de béatitude où toutes deux nous savourâmes notre chocolat en mordant dans des massepains, elle reprit :

— Les difficultés viendront sûrement de vos parents. Je connais votre père. Il a un sens de l'honneur exacerbé. Il va affirmer que vous avez souillé son nom. Quant à votre mère, elle va prétendre que vous êtes trop jeune pour le mariage et que, sans dot, vous serez mal considérée par votre époux.

Le chocolat m'écœura tout soudainement. Elle avait raison. Jamais mes parents ne me pardonneraient le déshonneur d'avoir été chassée de Saint-Cyr.

Voyant ma peine, Mme de La Ferté me dit :

— Dès ce soir, je leur ferai porter un courrier leur expliquant la situation.

Elle posa une main compatissante sur mon bras et poursuivit :

— N'ayez aucune crainte. Je plaiderai si bien votre cause qu'ils vous accorderont leur bénédiction pour votre union.

— Puissiez-vous dire vrai !

Alors, elle se leva et lança d'un ton gai, comme si tout était réglé pour le mieux :

— Lorsque vous êtes arrivée, je me rendais chez le sieur Hyon. C'est un marchand de perles réputé de la rue du Petit-Lion[1], à deux pas d'ici. M. de La Ferté m'a promis une parure neuve, mais il n'y connaît rien en bijou et on pourrait lui vendre n'importe quel caillou poli à la place de véritables perles. Je vais donc les choisir moi-même. Je vous emmène, cela vous changera les idées !

---

1. Actuellement rue Saint-Sulpice.

Troisième Partie

# À VERSAILLES

# CHAPITRE

# 1

❧

$B$ien que la rue du Petit-Lion soit proche de son hôtel, Mme de La Ferté avait fait atteler une calèche dont les portières étaient ornées des armoiries familiales.

— Une dame de qualité ne peut aller à pied dans Paris sans gâter ses souliers, ses bas et ses jupons. Les rues sont si sales !

Adélaïde admira la façade du palais des Tuileries, se dévissa le cou pour apercevoir la Seine et déjà le cocher arrêtait les chevaux devant une échoppe.

Un jeune Africain fort bien vêtu se précipita pour ouvrir la portière et déplier le marchepied. Il s'inclina et tendit la main à Mme de La Ferté.

— Aniaba ! minauda-t-elle, je suis flattée d'être ainsi accueillie par un prince !

— Ah, madame, ici, je ne suis pas prince, répondit le jeune éphèbe.

Puis il se tourna vers Adélaïde.

Cette dernière avait été tellement frappée par sa découverte qu'elle n'avait point osé poser sa main blanche dans la main d'ébène qu'on lui offrait. Il n'y avait point de nègre à Séez et elle n'en avait jamais croisé ni à Alençon ni à Saint-Cyr. Elle sauta lestement de la calèche et se trouva face à lui. Afin de reprendre contenance, elle sourit, puis sans réfléchir, lui adressa la parole alors même qu'ils n'avaient point été présentés :

— Je vous salue, monsieur.

— Tout l'honneur et le plaisir sont pour moi, répondit-il.

— Eh bien, vous avez fait beaucoup de progrès dans notre langue et dans nos manières ! constata Mme de La Ferté.

— C'est qu'il y a maintenant plus de six mois que je suis en France !

— Et Sa Majesté n'a toujours pas manifesté le désir de vous rencontrer ?

— Non. Le chevalier d'Amon attend sans doute le bon moment pour parler de moi à Louis le Grand... cependant, je commence à trouver le temps long. Certes, le sieur Hyon m'enseigne son métier, mais je n'ai pas entrepris un si long voyage jusqu'à Paris pour vendre des perles. Je suis le porte-parole de mon peuple et j'ai hâte de remplir ma mission.

— Je vous comprends, lâcha Mme de La Ferté.

Contrairement à ce qu'elle affirmait, Adélaïde eut l'impression que sa tante se moquait éperdument du sort du jeune Aniaba.

Le sieur Hyon les reçut avec empressement et une grande déférence, multipliant les courbettes. À n'en point douter, Mme de La Ferté était une bonne cliente. Pour elle, il étala sur de la molesquine noire plusieurs sachets de perles, lui faisant remarquer les reflets rosés d'une variété, la rondeur parfaite d'une série, et lui montrant aussi quelques perles en forme de poire et d'autres noires :

— Elles sont d'une extrême rareté et sont déjà très prisées des seigneurs de la Cour.

Elle hésita longuement.

Aniaba se tenait debout à côté d'un meuble de bois sombre à multiples tiroirs. Sur un signe du sieur Hyon, il ouvrait sans hésiter l'un des tiroirs pour en extraire un sachet fermé par un lien de soie, puis il le posait délicatement sur le plateau que lui présentait son maître.

Au début, Adélaïde garda les yeux pudiquement baissés, comme il sied à une demoiselle de qualité, puis la curiosité l'emporta et elle examina, le plus discrètement possible, le jeune homme : sa peau couleur chocolat, brillante comme une châtaigne sortie de sa bogue, ses yeux sombres, ses lèvres charnues, ses cheveux aux boucles serrées, sa taille au-dessus de la moyenne.

De son côté, Aniaba était attiré par la jeunesse et la beauté d'Adélaïde. Les dames pénétrant dans l'échoppe de son maître étaient d'un âge avancé, et souvent accompagnées de leur époux. Cette demoiselle-là semblait avoir son âge. Elle avait une peau délicieusement laiteuse et une chevelure entre la couleur de l'or et celle du feu. Quant à ses yeux... il ne saurait dire s'ils étaient gris, bleus ou verts... Il aurait fallu, pour cela, qu'il la fixe avec intensité et il n'osait pas. C'était contraire à l'art de bien se comporter avec la clientèle enseigné par M. Hyon.

De temps en temps, cependant, afin de lui montrer qu'il n'était point insensible à sa beauté, il lui décochait un souris discret. Une rougeur enflammait alors les joues de la demoiselle. C'était délicieux. Il n'avait jamais rien vu de comparable sur la peau des gens de sa race.

Mme de La Ferté mit deux bonnes heures à faire son choix. Au début, Adélaïde s'était plu à admirer les précieuses perles, mais elles se ressemblaient toutes et perdre autant de temps pour trouver les plus belles lui parut ridicule. Cependant, elle cacha le mieux possible son ennui, se retenant de bâiller et de se trémousser dans son fauteuil, lorsque le sieur Hyon montrait une nouvelle pièce identique aux autres, si ce n'était que l'une avait un reflet rose nacré quand l'autre en avait un rose lustré. Plusieurs fois, elle surprit le regard amusé d'Aniaba. Nul doute qu'il avait deviné son impatience.

Enfin, elles quittèrent l'échoppe. Maître Hyon et son commis les escortèrent jusqu'à la calèche. Avant d'y monter, Mme de La Ferté ordonna à son cocher :

— Faites vite, mon ami, nous sommes jeudi et, à six heures de relevée, il y a appartement à Versailles.

Elle se retourna vers le sieur Hyon et ajouta :

— Il me reste deux heures pour m'apprêter et le roi n'aime pas les retardataires !

Dès que la voiture s'ébranla, Mme de La Ferté expliqua à sa nièce :

— Je suis contente de mon choix. D'ici une quinzaine de jours, le sieur Hyon m'aura confectionné une broche et un bracelet qui feront pâlir d'envie mes amies. Les perles sont à la mode à la Cour et ne point en porter est une faute de goût. J'espère que ce moment vous a quelque peu divertie ?

— Tout à fait, et je vous en remercie.

— La beauté sauvage de ce jeune Aniaba est remarquable.

— Est-il vraiment prince ?

— C'est ce qu'il prétend. Mais j'en doute fort. S'il l'était, il ne vivrait pas dans l'échoppe d'un marchand de perles. J'ai ouï dire que les gens d'Afrique et d'Asie seraient des affabulateurs. Ils cacheraient leur inculture en s'inventant des contes.

Elle posa une main sur le bras de sa nièce et lui dit tout soudainement :

— Et que diriez-vous de m'accompagner à Versailles, ce soir ?

— Mais je...

— Le roi y reçoit fort simplement les personnes qu'il veut honorer.

— Je ne suis pas invitée.

— Moi, je le suis. Sa Majesté me fait souvent le grand honneur de me coucher sur sa liste et je gage qu'il appréciera que je lui présente une demoiselle avenante et souriante.

— Je... je viens d'être chassée de Saint-Cyr par Mme de Maintenon et...

— Ah, oui, j'oubliais... c'est fâcheux... mais nous pouvons habilement éviter de parler de Saint-Cyr.

— Je crains de ne pas être à l'aise parmi...

— Écoutez, belle enfant ! coupa Mme de La Ferté. Je vous offre l'opportunité de faire votre entrée à la Cour et même de rencontrer le roi s'il nous fait le plaisir de se montrer ce soir. Il me semble que cela ne se refuse pas !

— Vous avez raison, ma tante, répondit Adélaïde pour ne pas fâcher Mme de La Ferté.

Mais elle aurait voulu être à cent lieues de là... à Séez dans le calme et la douceur de la demeure de son enfance.

# 2

Mme de La Ferté dénicha, dans une de ses malles entassées dans sa garde-robe, une jupe et un bustier.

— Regardez, dit-elle tout excitée à sa nièce, je portais cela il y a deux ans. Habituellement, je donne toutes mes tenues à mes domestiques, mais ce bustier était si joliment brodé et la soie de la jupe si belle que je ne m'y suis pas résolue. J'ai bien fait. Essayez cela que je juge de l'effet produit.

Elle aida Adélaïde à enfiler la jupe sur ses jupons, constata qu'elle traînait jusqu'à terre, puis laça le bustier.

— Vous manquez encore de tétons, mais en glissant un coussinet de tissu dans l'échancrure et en serrant un peu plus les lacets, vous donnerez le change. J'appelle Mauricette, elle fera rapidement un ourlet tandis que Lucie s'occupera à me coiffer et à me farder.

Adélaïde était passée des robes de petite fille taillées dans des étoffes simples et résistantes à la robe unie et sobre des demoiselles de Saint-Cyr. Jamais elle n'avait porté une tenue aussi somptueuse. Elle caressa du plat de la main la soie verte ornée de fleurs roses et jaunes, le bustier brodé d'argent et bordé de galons argentés. Elle eut le sentiment de quitter le domaine de l'enfance et de se transformer en une véritable demoiselle prête au mariage. C'était, dans le fond, fort agréable.

Tous les quarts d'heure, Mme de La Ferté houspillait ses filles en répétant :

— Pressons, pressons ! On ne fait pas attendre le roi !

Elle se pencha vers sa nièce et lui murmura à l'oreille :

— C'est une formule magique pour faire se hâter mes domestiques, car en prenant de l'âge, le roi n'assiste plus aussi régulièrement aux soirées d'appartement. Mais cela y met du piment. Chaque fois, nous nous disons : « Sa Majesté viendra-t-elle ? » De ce fait, personne ne se permet une absence de peur de manquer le roi.

Lucie noua les cheveux de sa maîtresse, puis les cacha sous une imposante perruque faite de boucles enlacées. Elle piqua un poisson d'or et de perles surmonté d'une plume sur le côté droit. Elle enduisit le visage de Mme de La Ferté d'une crème blanche, marqua les pommettes d'un fard rose, lui souligna les lèvres de rouge et colla deux mouches : une sur la joue, l'autre en dessous de l'œil gauche. Elle la vaporisa généreusement d'une eau de parfum au muguet, dont les effluves se répandirent dans la pièce.

— Pour Adélaïde, faites quelque chose de simple.

Elle soupira et ajouta :

— La jeunesse n'a pas besoin de tous ces artifices !

Avec un fer à friser, Lucie boucla les cheveux d'Adélaïde, remonta les mèches de devant avec des rubans de soie assortis à sa tenue et poudra légèrement son ouvrage.

— Ah, ma chère enfant, lorsque je vous regarde, il me semble me voir à quinze ans ! Si j'avais eu une fille, j'aurais aimé qu'elle vous ressemble... Hélas, Dieu ne l'a point voulu ainsi.

Émue par cet aveu, Adélaïde se leva du tabouret où elle était assise et voulut embrasser sa tante, qui la retint d'un geste en se moquant :

— Malheureuse, n'allez pas défaire tout le travail de Lucie !

Elles s'installèrent enfin dans la calèche, emmitouflées dans de bonnes capes de laine, les pieds posés sur des chaufferettes remplies de braises, car en ce mois de janvier 1689, l'air était froidureux. La Seine charriait quelques glaçons et le vent glacial s'infiltrait partout. Mais il n'était pas question de renoncer à une soirée d'appartement pour une difficulté climatique.

Une heure plus tard, après avoir gravi les degrés de l'Escalier du roi, elles traversèrent la Grande Galerie pour entrer dans le salon de la Guerre. Puis elles pénétrèrent dans la chambre du Trône[1] où des musiciens jouaient sans que personne les écoute.

Il y avait presse. Adélaïde suivait sa tante qui s'arrêtait presque à chaque pas, saluant ici une dame qui avait essayé de cacher ses rides d'une trop épaisse couche de fard blanc, là un marquis couvert de rubans, plus loin une dame jeune et belle. Chaque fois, elle présentait Adélaïde, avec cette phrase :

— Ma nièce, Adélaïde, la fille de ma chère cousine Suzanne des Jouberts.

Mentionner le patronyme de sa mère était fort adroit. Cela évitait de prononcer le nom de la demoiselle chassée de Saint-Cyr... pour le cas, assez improbable d'ailleurs, où Sa Majesté le connaîtrait.

Impressionnée, Adélaïde ouvrait grands les yeux.

1. Salon d'Apollon.

Des milliers de bougies placées dans des candélabres d'argent et des lustres à pampilles éclairaient les pièces presque comme en plein jour. Le mobilier d'argent étincelait sous la lumière. De somptueuses tapisseries réchauffaient les murs, et des tapis rendaient le sol aussi moelleux que si l'on avait marché sur la mousse des bois. Les garçons bleus allaient et venaient, servant les tables et prévenant les envies de chacun. Dans l'air flottaient les parfums capiteux des invités, les effluves de citrons, d'oranges et de confitures sèches, et l'odeur enivrante du chocolat et du café chaud.

— Ah ! J'aime cette ambiance de luxe et de courtoisie qui règne dans ces salons ! lui souffla sa tante tout en adressant un souris à un gentilhomme qui s'inclinait devant elle. Je ne pourrais point m'en passer. Vous verrez combien c'est agréable !

— Je ne sais pas si j'aurai l'occasion de...

— Certainement. M. Ruault de La Bonnerie est bien introduit auprès de Sa Majesté et son fils prendra bientôt sa succession. Il sera fier de vous avoir à son bras, n'en doutez pas !

Se retournant, elle se pencha vers sa nièce et lui dit à l'oreille :

— Quand on parle du loup... n'est-ce pas lui à côté de la fontaine de liqueur ?

Adélaïde regarda dans la direction indiquée. Gabriel, avantageusement vêtu d'un costume de soie grise, une veste brodée sur une chemise fine, bavardait avec un gentilhomme. Une vapeur monta au visage d'Adélaïde et ses jambes se mirent à trembler. Comme si son regard avait aimanté celui de Gabriel, il rompit brusquement la conversation et fut devant elle en trois enjambées. Il s'inclina poliment devant Mme de La Ferté, puis saisissant la main d'Adélaïde qu'elle ne lui tendait cependant point, il bredouilla :

— Vous ? Vous ici ?.... Mais n'étiez-vous point à Saint-Cyr ?

— Plus bas, jeune homme, lui intima Mme de La Ferté en jetant un œil inquiet autour d'elle.

Il ne manquerait plus que ce fougueux prétendant divulgue l'identité d'Adélaïde qu'elle avait cachée avec tant d'application. Elle lui prit le bras et le tira dans le renfoncement d'une fenêtre afin de pouvoir parler plus librement.

— Elle y était et y serait encore sans votre imprudence ! Comment avez-vous eu l'audace de lui transmettre un billet ?

Gabriel sembla tomber des nues. Il regarda Adélaïde qui, intimidée, baissait la tête, puis s'excusa :

— J'avais revu Adélaïde à Versailles et elle m'avait ébloui ! J'ai voulu lui déclarer ma flamme et être certain qu'elle se souvenait de moi. Nous étions si jeunes lorsque nos parents nous ont promis l'un à l'autre...

— Eh bien, vous auriez dû vous abstenir. Par votre faute, Adélaïde a été chassée de Saint-Cyr, ce qui est un grand déshonneur pour sa famille.

— Oh, ma tante ! bredouilla Adélaïde, désolée que Gabriel soit accablé de reproches alors qu'en lui apportant la preuve de son amour, il avait fait d'elle la plus heureuse des demoiselles.

Mme de La Ferté ignora les plaintes de sa nièce et poursuivit :

— Il ne vous reste plus qu'à l'épouser promptement pour réparer votre faute.

— C'est mon vœu le plus cher !

— Voilà qui est bien ! Obtenez le consentement de votre père en lui précisant que je doterai personnellement Adélaïde.

— Il ne faut pas, ma tante, je...

— Cela me plaît d'aider deux jeunes tourtereaux, coupa Mme de La Ferté en posant une main affectueuse sur le bras d'Adélaïde. J'aurais agi ainsi pour ma fille, mais comme je n'en ai point...

— Nous vous remercions de votre générosité, dit Gabriel.

Satisfaite d'avoir, en quelques phrases, dénoué une situation délicate, elle ajouta à l'intention du jeune homme :

— Choisissez une date, retenez un prêtre et appelez un bon tailleur. Je me charge de convaincre les parents d'Adélaïde.

— Ah, madame, vous êtes notre bonne fée !
s'enthousiasma Gabriel.

— C'est un bien beau rôle que d'unir une ber-
gère à son prince charmant ! répondit Mme de La
Ferté en souriant.

Ce soir-là, le roi ne se montra pas, mais Adélaïde n'en fut point attristée. Elle ne quitta pas
Gabriel. Il fut aux petits soins pour elle : lui apportant de la confiture de rose dans une assiette, lui
épluchant une orange dont elle découvrit le goût
acide et fruité pour la première fois. Ils écoutèrent,
assis côte à côte, la musique des violons du roi,
regardèrent un moment les joueurs de cartes et de
billard. Ils échangèrent quelques phrases banales.
Le lieu n'était pas propice aux confidences. Mais
ils étaient ensemble, ils respiraient le même air,
pouvaient se frôler la main, se toucher comme par
inadvertance le bras ou l'épaule, se sourire.

# 3

Quelques jours plus tard, Mauricette vint prévenir Adélaïde, qui lisait l'un des nombreux romans
découverts dans la bibliothèque de la maison, que
Madame l'attendait dans sa chambre.

Lorsque Adélaïde y pénétra, un feu réchauffait
la pièce dont les tentures avaient été ouvertes pour
laisser entrer la lumière du jour. Mme de La Ferté,
allongée dans son lit, le dos soutenu par plusieurs
carreaux de plumes, brandit une lettre en annonçant joyeusement :

— C'est la réponse de vos parents !

— Alors ?

— Certes, votre père est fâché de la tournure
des évènements. Il considère que l'honneur de sa
maison a été bafoué puisque vous avez été chassée

de Saint-Cyr. Mais il ne vous en tient pas responsable, et puisque M. Ruault de La Bonnerie souhaite réparer sa faute en vous épousant...

Mme de La Ferté s'arrêta pour faire languir sa nièce, qui, tombant dans le piège, s'écria d'un ton angoissé :

— Je vous en prie, poursuivez...

— Il vous donne son consentement !

Un cri de joie s'échappa de la poitrine d'Adélaïde qui se jeta dans les bras de sa tante.

— Attendez, attendez, petite folle, j'ai une autre nouvelle à vous apprendre.

Craignant une quelconque difficulté, Adélaïde se redressa, prête à passer de la joie aux larmes.

Mme de La Ferté sortit une autre lettre de dessous les couvertures et annonça :

— Ceci vient de M. Ruault de La Bonnerie.

— Que dit-il ? demanda-t-elle d'une voix à peine audible.

— Il dit que son père lui donne sa bénédiction pour votre union, que le prêtre est retenu et que votre mariage aura lieu le 8 mars.

La tension nerveuse l'emporta et Adélaïde fondit en larmes. Sa tante l'attira contre elle et la berça comme l'aurait fait sa mère :

— Je conçois que cela vous fasse un trop-plein d'émotion. Pourtant, il faut cesser de sangloter, car nous avons du travail ! Il faut nous occuper du tailleur, de la cérémonie et de la collation que nous servirons aux invités.

— Le mariage n'aura point lieu chez moi à Séez ?

— Non. Votre père ne le souhaite pas. Il craint que ce mariage un peu... précipité ne fasse cancaner les mauvaises langues du pays et ne porte préjudice à votre sœur qui est en âge, à présent, de trouver un parti.

— Je comprends, répondit Adélaïde le cœur serré.

— Oh, ne vous mettez pas martel en tête[1]. Vous savez bien que, pour votre père, l'honneur de son nom passe avant tout ! Il ne vous en aime pas moins pour autant. Et puis, je suis si heureuse d'organiser votre mariage que s'il m'en avait privée, j'en aurais été fort marrie.

— Je vous remercie, ma tante, sans vous rien n'aurait été possible.

Mme de La Ferté tira sur le cordon pour appeler Mauricette et, rejetant drap et couvertures, se leva.

— Je vais incontinent convoquer le tailleur qui doit travailler pour vous, pour mon époux et pour moi. Il faudra aussi constituer votre garde-robe. Vous ne pouvez décemment pas vous marier sans avoir une bonne douzaine de chemises et de gants, le double en jupons et en bas, deux ou trois corps, des souliers, des chapeaux, une ou deux mantes, et je ne parle pas

1. Ne vous tracassez pas.

des jupes, des bustiers, des robes de chambre dont nous devrons avec soin choisir les étoffes.

L'étonnement dut se marquer sur le visage d'Adélaïde, car sa tante éclata de rire et enchaîna :

— Je ne veux pas que vous ayez à rougir de votre tenue devant la famille Ruault de La Bonnerie et de surcroît, je souhaite vous voir briller à la Cour.

— Faudra-t-il donc que j'y paraisse ?

— Quelle question ! C'est l'endroit où l'on doit être vu pour assurer sa fortune. Gabriel y est souvent et Sa Majesté apprécie sa présence. Mais si sa jeune épouse sait par sa beauté et son esprit charmer notre souverain, cela facilitera son ascension.

— J'ignore tout des usages de la Cour. Mon aspect est tout ce qu'il y a de plus ordinaire et mon esprit n'a pas été habitué à briller...

— Voilà, hélas, ce que donne l'éducation de Mme de Maintenon : des jeunes filles qui ignorent les attraits dont elles sont pourvues et dont l'esprit est endormi par les prières ! Je vais réveiller tout cela et dans un mois vous serez le bijou que toute la Cour voudra approcher !

— Je n'en demande pas autant.

Mme de La Ferté bougonna devant le peu d'entrain d'Adélaïde et s'engagea sur une autre piste :

— Vous ne voulez tout de même pas faire honte à Gabriel en demeurant un petit laideron sans conversation !

— Oh, non. Je veux qu'il soit fier de moi.

— Alors, il faut nous mettre au travail. Il me plaira de vous transformer en une jolie demoiselle, ne serait-ce que pour montrer à la marquise que l'on peut être belle, amoureuse, avoir de l'esprit et rester vertueuse.

Mme de La Ferté que Lucie avait entrepris de coiffer devant sa table de toilette, se pencha vers sa nièce et ajouta :

— Ainsi, vous serez vengée de l'affront d'avoir été renvoyée en étant innocente.

Aucune idée de vengeance n'avait jamais effleuré Adélaïde. Mais elle avait tant souffert d'avoir été condamnée pour une faute qu'elle n'avait point commise que cette proposition la séduisit. Aussi répondit-elle :

— Ma foi, j'avoue que cela ne me déplairait point.

— À la bonne heure !

Deux jours plus tard, un tailleur se déplaça pour proposer ses étoffes et prendre les mesures. Il fut suivi par un gantier, un chapelier, un mercier.

Jamais Adélaïde n'avait vu autant de personnes venues lui présenter autant de merveilles. Comme sa mère le lui avait appris, elle choisissait avec le plus grand soin un article afin que sa couleur, sa texture puissent s'adapter à plusieurs tenues. Mme de La Ferté la houspilla :

— Non, non, il vous faut au moins une douzaine de gants et cinq ou six chapeaux !

— C'est beaucoup trop, ma tante ! La dépense en sera...

— Ne vous occupez point de la dépense ! s'agaça Mme de La Ferté, préoccupez-vous de pouvoir paraître dans toutes les circonstances : le matin avec vos gens, l'après-midi dans les salons, le soir à la Cour. Une tenue pour la chambre, une pour la promenade. Une si l'air est chaud, une autre s'il est froid. Une qui découvre avec grâce les épaules, une qui les cache avec pudeur !

La tête d'Adélaïde finit par lui tourner.

Sa tante voulait toujours voir un nouveau tissu, une nouvelle dentelle, des rubans originaux en or et organdi, une broderie somptueuse...

À la vue d'une dentelle, Adélaïde osa toutefois demander :

— J'aurais grand plaisir, ma tante, à porter sur mon bustier un ornement en dentelle d'Alençon.

— Vous avez raison. Les manufactures royales fabriquent du point de France qui est, à présent, plus beau que la dentelle de Venise.

— Certes. Mais j'aimerais, si cela ne vous ennuie point, porter de la dentelle fabriquée par l'atelier de

Mme Coulon de Séez... cette dame a des ouvrières talentueuses et aussi...

Adélaïde hésita à livrer le secret qui la liait à sa sœur, puis elle lâcha :

— Marie-Cécile en fait partie.

— Marie-Cécile, Seigneur ! Vos parents ont-ils perdu la tête que d'obliger cette enfant à travailler pour obtenir sa dot !

— C'est tout le contraire, ma tante. Marie-Cécile travaille en cachette par amour de la dentelle. Et elle ne veut pas d'autre destin que celui de vélineuse.

— Décidément, les filles de ma cousine ne font rien comme les autres ! L'aîné est chassée de Saint-Cyr pour les beaux yeux d'un damoiseau et la seconde choisit de travailler comme une bête par amour de la dentelle ! s'exclama Mme de La Ferté dans un grand éclat de rire.

Cette femme était extraordinaire. Elle avait l'art de transformer les tragédies en comédies !

— Eh bien, soit, je vais commander un tour de col et des poignets à cette dame Coulon.

La journée passa sans qu'Adélaïde s'en aperçoive. Et elle avoua qu'il était fort plaisant d'être occupée à se parer.

— Ah ! s'enthousiasma sa tante, je suis bien aise de vous l'entendre dire !

# 4

Un après-dîner, tandis qu'Adélaïde essayait de calmer son impatience en poursuivant la lecture de *L'Astrée*, sa tante pénétra dans le salon de lecture réchauffé par un feu brûlant dans la cheminée, un paquet à la main.

— On vient de déposer cela pour vous.

Le pouls d'Adélaïde s'affola. Afin de lui prouver son attachement, Gabriel lui faisait sans doute parvenir un présent.

Voyant son trouble, Mme de La Ferté lui précisa :

— Le paquet vient de Séez.

Adélaïde cacha du mieux qu'elle le put sa déception et commença à défaire le lien retenant l'étoffe recouvrant un petit coffret de bois. Elle l'ouvrit, écarta le linon fin qui protégeait le contenu et s'extasia :

— Un col de dentelle au point d'Alençon !

Sur un morceau de papier, Marie-Cécile avait écrit d'une écriture encore enfantine : « J'ai participé à la réalisation de ce col. Mère, qui est enfin au courant de mon souhait de devenir vélineuse, a accepté de l'acheter à Mme Coulon. Nous te souhaitons beaucoup de bonheur. »

Adélaïde caressa la pièce de dentelle du bout des doigts, la sortit de son emballage, et d'une main qui tremblait un peu, elle la présenta à sa tante :

— C'est le plus beau des cadeaux que j'aie jamais reçus... sans compter, bien sûr, ceux que vous avez la bonté de me faire.

— Je comprends. Et je suis bien aise que ma cousine ait changé d'idée au sujet de l'apprentissage de Marie-Cécile. Cela ne m'étonne qu'à moitié. La dentelle est dans les gènes de notre famille.

— Comment cela ? s'étonna sa nièce.

— Notre grand-père faisait le commerce des dentelles de Venise, plus tard, il a même fait venir en secret des dentellières de la Sérénissime afin qu'elles enseignent leur art à quelques filles d'Alençon... Il a ensuite monté un atelier, puis plusieurs. C'est ainsi qu'il a constitué sa fortune. Mais il est plus glorieux de s'enrichir les armes à la main qu'avec des aiguilles et du fil. Alors, personne ne parle de dentelle chez nous.

— Ainsi, Marie-Cécile va reprendre la tradition.

— Ce n'est, après tout, qu'un juste retour des choses.

— Père l'acceptera-t-il ?

— Il s'y fera, car vois-tu, si ton père a un nom, il n'avait point de fortune. C'est la dot de ta mère, acquise grâce à la dentelle, qui vous a fait vivre longtemps... et puis, ton père s'est engagé pour servir son roi et... enfin, tu connais la suite. Et s'il ne se souvient pas de ce qu'il doit à la dentelle, je me charge de le lui rappeler.

Tout semblait si simple avec elle !

Tout à coup, le majordome se présenta à la porte et annonça :

— M. Gabriel Ruault de La Bonnerie attend dans le salon bleu en espérant être reçu.

— Faites-le patienter, tandis que Lucie et Mauricette nous apprêteront.

Adélaïde avait, le matin même, passé le temps nécessaire à sa toilette et elle ne voyait pas ce qu'elle pouvait faire de plus. Pourtant, sur les ordres de sa tante, Lucie boucla une nouvelle fois ses cheveux, les attacha avec des rubans neufs, lui farda les joues et les lèvres, la poudra et enfin lui vaporisa une eau de senteur à la rose assez plaisante. Le miroir lui renvoya l'image d'une demoiselle fort jolie, mais elle avait du mal à se persuader qu'il s'agissait bien d'elle.

Elle enfila une nouvelle jupe et Lucie laça sur son corps un bustier un peu plus décolleté, qui laissait dépasser des manches d'un linon si fin que, par transparence, on apercevait le dessin de ses épaules.

— Parfait ! décréta Mme de La Ferté une heure plus tard.

Adélaïde craignait de paraître trop précieuse, mais lorsqu'elle lut l'admiration dans le regard de Gabriel, elle reprit confiance. Il baisa fort respectueusement le bout des doigts de Mme de La Ferté et s'inclina devant sa promise en se permettant ce compliment :

— Ah, demoiselle, votre beauté est si éblouissante qu'attendre encore un mois avant notre mariage est un véritable supplice !

Mme de La Ferté sourit, mais Adélaïde rougit de la hardiesse de ces propos. Se rendant compte qu'il avait heurté la pudeur de la jeune fille, il s'adressa à sa tante :

— Je viens solliciter la permission d'amener Adélaïde chez maître Hyon afin d'y choisir une parure de perles que je souhaite lui voir porter pour notre mariage. Elles sont le symbole de la pureté de nos sentiments.

— Excellente idée. Maître Hyon a les plus belles perles du royaume ! Je ne vous accompagne pas.

Je suis un peu souffrante et l'air est si vif ce jour d'hui...

Adélaïde jeta un regard étonné à sa tante, qui ne s'était plainte d'aucun mal. Cette dernière lui adressa un clin d'œil qui voulait dire : « Je vous laisse un peu de liberté afin que vous fassiez plus ample connaissance. »

Pourtant, Adélaïde s'alarma. Elle n'avait jamais été seule avec un gentilhomme et elle craignait que la timidité ne la paralysât et ne la fît paraître sotte, sans conversation. Ne partageant pas ses préoccupations, Gabriel répondit gaiement :

— N'ayez aucune crainte. Je prendrai grand soin de Mlle Adélaïde et je vous la ramènerai dès notre choix fait.

— Je n'en doute pas. Empruntez ma calèche, ce sera plus discret. Il ne faut pas donner de grain à moudre[1] aux mauvaises langues !

Gabriel offrit son bras pour qu'Adélaïde s'y appuie afin de gravir sans difficulté les deux marches du marchepied. Habituellement, aucune aide ne lui était nécessaire, mais elle trouva ce geste tout ce qu'il y avait de plus galant et même... tendre.

Il s'assit à son côté... sur un pan de sa jupe. Elle aurait souhaité se pousser contre la portière afin de

1. Donner un motif de bavardage.

laisser une distance respectable entre eux. Elle ne le put de peur de faire craquer le tissu. Le sentir si près d'elle la troubla. Elle respirait son odeur et les soubresauts de la calèche faisaient que, parfois, une boucle de sa perruque venait lui frôler la joue. Pour calmer le feu qui s'emparait d'elle, elle avait tourné son visage vers la fenêtre, mais comme le mantelet de cuir en était baissé, elle ne put garder longtemps cette attitude. Gabriel qui avait perçu son malaise rompit le silence :

— Je suis heureux de passer ce moment avec vous.

Il était impensable qu'elle répondît : « Moi aussi. » Elle se contenta donc de sourire.

— Je pourrais vous dire que je regrette de vous avoir écrit ce billet, source de vos ennuis, mais ce serait mentir, car grâce à lui, vous allez être ma femme sans tarder... et j'avoue que cela me satisfait pleinement.

Encore une fois, il lui fut impossible de répondre : « Moi aussi. » Elle redoutait que son mutisme ne passe pour de l'indifférence... mais que faire ?

— J'espère que vous aimez les perles ? s'informa-t-il.

Enfin, une question lui permettant d'ouvrir la bouche.

— Beaucoup ! souffla-t-elle.

— Je ne connais le sieur Hyon que de réputation, et parce qu'un de ses employés prend des leçons chez le même maître d'armes que moi. C'est un nègre qui se prétend prince d'Assinie.

Soulagée par ce sujet de conversation anodin, Adélaïde reprit :

— Je l'ai rencontré il y a quelques jours en accompagnant ma tante choisir une parure.

— Il est tout de même curieux qu'un prince se retrouve employé chez un vendeur de perles... Pourtant, il faut reconnaître qu'il a fière allure et qu'il manie l'épée avec dextérité. Il n'a que six mois de pratique, mais il est souple, rusé, adroit et sera bientôt meilleur que moi qui pratique cet art depuis dix ans ! Aniaba, c'est son nom, est persuadé que le chevalier d'Amon a noué un complot contre lui.

— Un complot ?

— Oui. Il se méfie de d'Amon qui pourrait présenter à Sa Majesté un autre Africain... un remplaçant falot qui ne serait bon qu'à se prosterner aux pieds du roi sans jouer le rôle d'ambassadeur. Aniaba m'a expliqué qu'il est venu en France pour solliciter l'aide des armées du roi afin de chasser les Essouma du trône d'Assinie. Mais maintenant, d'Amon ne veut plus en entendre parler. S'il dit vrai, il est dans une fâcheuse posture et il risque de passer le restant de son existence dans la boutique du sieur Hyon.

— Ce serait regrettable en effet.

— J'ai déjà commencé une enquête discrète auprès des personnes qui ont fait le voyage en Assinie, mais il semble bien qu'elles aient reçu l'ordre de ne rien divulguer d'essentiel. Ah, elles vous décrivent par le menu les bêtes féroces qu'elles ont vues, les mets étranges qu'elles ont mangés, les habitations et les coutumes des tribus de là-bas, mais en ce qui concerne Aniaba, elles ne se souviennent de rien !

— Comme cela est étrange.

— C'est bien mon opinion. Aussi, je lui ai promis mon assistance.

— C'est tout à votre honneur.

— Ah, ma mie, je ne peux souffrir l'injustice, et puisque ma situation me permet d'approcher Sa Majesté en de multiples occasions, il est de mon devoir de réparer celle que l'on commet à l'égard d'Aniaba. J'ai appris à le connaître. C'est un homme valeureux que la vie n'a pas épargné et qui ne demande qu'à bien servir son peuple et le roi de France. Dès que le moment sera opportun, j'essaierai de prévenir Sa Majesté que le prince Aniaba attend une audience.

Séduite par les propos de Gabriel, Adélaïde serait restée des heures et des heures à l'écouter parler. Bientôt, pourtant, la calèche s'arrête à hauteur de la boutique de maître Hyon. Avant que le cocher n'ait descendu le marchepied, Gabriel saute sur la chaussée et tend la main à Adélaïde. Cette fois, elle se laisse aller contre lui. Il la serre sur sa poitrine plus que nécessaire. Elle sourit à ces quelques secondes de bonheur volé, prémices de celui qui sera le sien dans un mois.

Aniaba vint les accueillir sur le seuil de l'échoppe. Les deux hommes se donnèrent une grande claque fraternelle dans le dos comme le font souvent les bretteurs[1] ayant l'habitude de croiser le fer ensemble. Puis reconnaissant Adélaïde, le jeune homme marqua son étonnement et Gabriel lui expliqua :

— Mlle de Pélissier est ma promise. Nous allons nous marier sous peu et nous venons choisir les perles qui orneront sa tenue.

Maître Hyon s'était avancé à son tour et, ayant entendu la présentation de Gabriel, il fit son compliment à la jeune fille en parfait commerçant :

— Ah, demoiselle, la pureté des perles sera en parfaite harmonie avec la blancheur de votre teint. Je vais vous montrer les plus belles afin de célébrer dignement le jour de votre union avec M. Ruault de La Bonnerie.

Elle s'assit dans le fauteuil où, quelques jours plus tôt, sa tante avait pris place, ce qui lui procura

---

1. Ceux qui aiment se battre à l'épée.

une curieuse sensation, comme si elle avait vieilli d'un seul coup, passant du statut de fillette à celui de femme. Elle tâcha d'assumer ce rôle de son mieux, écoutant avec attention les explications du sieur Hyon. Malgré tout elle ne voyait guère de différence entre les blancs nacrés, les blancs rosés et les blancs de blanc.

— Toutes sont très belles, alors, je vous en prie, choisissez pour moi, proposa-t-elle à Gabriel.

Afin que le marchand et Gabriel puissent discuter ensemble de la fabrication de la parure et des prix, elle se leva et, s'approchant de la fenêtre donnant sur la rue, elle fit mine de s'intéresser au va-et-vient des passants.

Gabriel la rejoignit bientôt en lui assurant :

— Ces perles auront encore plus d'éclat sur votre peau.

Elle rougit à ce compliment.

Aniaba leur ouvrit la porte et les accompagna jusqu'à la calèche. Il retint un instant Gabriel par le bras et lui dit :

— Hier, par le plus pur des hasards, je me trouvais devant Notre-Dame et j'eus soudain l'envie d'y pénétrer. Et là, j'eus comme une révélation ! J'ai senti, dans ce lieu, la présence de votre dieu... Je veux apprendre à le connaître et à l'aimer.

— Ce serait une grande joie de vous savoir baptisé et enfant de notre sainte mère l'Église ! Et que diriez-vous, ma chère Adélaïde, qu'Aniaba soit un des témoins de notre union ?

Avant qu'elle n'ait pu donner son assentiment, Aniaba s'enthousiasma :

— Parlez-vous sérieusement ?

— Je n'aurais pas l'audace de plaisanter avec la religion.

Aniaba saisit les mains de son ami et poursuivit d'une voix où perçait l'émotion :

— Ce serait mon premier acte officiel sur le sol de France. J'aurais enfin le sentiment d'exister, et puis quel honneur pour moi ! Ce jour d'hui est donc un jour béni.

Adélaïde le pensait aussi mais pas tout à fait pour les mêmes raisons que le jeune Africain.

# CHAPITRE

# 5

La date de la cérémonie approchait.

Adélaïde avait bien, un instant, envisagé d'en informer les camarades de sa bande, mais comment s'y prendre ? Si elle faisait porter un courrier à la supérieure, il était à peu près certain qu'elle ne le lirait pas aux demoiselles de la classe jaune. De même, si elle envoyait un mot à chacune, il ne leur serait pas remis puisque les lettres étaient lues avant d'être distribuées. Et qu'une punition se solde par un mariage d'amour n'était pas un bon exemple pour la Maison Royale d'éducation.

Aucune de ses amies n'assisterait donc à son mariage et cela la chagrina, mais elle attendait avec une impatience grandissante de revoir ses parents, sa sœur et son frère.

La robe, confectionnée par le tailleur, était une splendeur. Il l'avait livrée voici trois jours, enveloppée dans un coutil fin afin de la protéger de la poussière. Mauricette l'avait suspendue dans la garde-robe pour qu'elle ne se froisse pas. Adélaïde ouvrait souvent la porte de cette petite pièce sombre pour caresser l'étoffe du plat de la main et s'assurer ainsi qu'elle ne rêvait point. Elle en profitait pour tapoter les dentelles des jupons, ouvrir la boîte renfermant les bas de soie brodés d'une fleur à hauteur de la cheville, celle contenant les trois paires de gants couleur tourterelle et celle où ses souliers en cuir doublé de soie dormaient en attendant de danser sur le parquet.

Adélaïde était sereine. Sa tante s'était occupée de tout le mieux du monde. Le moindre détail avait été étudié. Le majordome de la maison avait engagé en nombre cuisiniers, commis, valets, servantes, palefreniers. Et dès l'aube, la maison s'éveillait avec des bruits inhabituels.

Depuis cinq jours, Adélaïde n'avait point revu Gabriel qui pourtant était venu régulièrement lui faire sa cour, lui offrant des fleurs, de menus présents, l'emmenant découvrir les jardins des Tuileries, puis ceux de Versailles. Comme elle s'en inquiétait, sa tante lui apprit :

— Il a de nombreuses affaires à régler de son côté et il doit assurer son service auprès du roi ! J'ai ouï dire que Sa Majesté l'appréciait fort. Et puis, la tradition veut que les deux fiancés ne se voient pas les jours précédant les noces.

— C'est qu'il me manque déjà !

— Ah, des sentiments comme les vôtres, cela fait plaisir ! Les couples unis par l'amour et non seulement par un quelconque intérêt sont si rares ! Je suis heureuse que cette exception vous concerne !

Le 5 mars, Aniaba se présenta à l'hôtel de Mme de La Ferté et fut reçu dans le salon bleu par la tante et sa nièce.

— J'apporte le collier de perles afin que vous puissiez vous rendre compte s'il s'accorde bien avec votre tenue. M. Hyon est prêt à le modifier s'il ne vous convient pas.

Adélaïde cacha sa déception. Elle rêvait que ce soit Gabriel qui le lui glisse autour du cou...

— M. Ruault de La Bonnerie est un gentilhomme qui respecte les usages, affirma Mme de La Ferté.

Le collier que découvrit Adélaïde dans l'écrin de cuir lui coupa le souffle !

— Quelle merveille ! bredouilla-t-elle.

— Gabriel a choisi les plus belles et... je me permets de vous l'avouer, les plus chères. Il a assuré que rien n'était trop beau pour vous. Et... je partage son avis.

— Eh bien, ma chère, plaisanta Mme de La Ferté, vous voilà avec deux prétendants !

— Oh, madame, je ne me permettrais pas, s'offusqua Aniaba.

Les parents d'Adélaïde avaient prévenu qu'ils arriveraient le jour même, ne voulant pas être une charge supplémentaire pour Mme de La Ferté.

La signature chez le notaire devait avoir lieu le matin du 8 mars et la cérémonie religieuse à trois heures de relevées.

Mme de La Ferté avait ordonné à sa nièce de se coucher de bonne heure pour être fraîche et dispose le lendemain :

— Si vous voulez faire honneur à votre promis, à vos parents et à moi-même, il vous faut être resplendissante ! Et les nuits sans sommeil gâtent le teint et cernent les yeux. Je m'occupe des derniers détails. Ne vous souciez que de bien dormir !

— Je ne vous remercierai jamais assez de tout ce que vous faites pour moi ! avait répondu Adélaïde en embrassant affectueusement sa tante.

— Le plaisir que je prends à régler ce mariage vaut tous les remerciements !

Adélaïde eut cependant du mal à trouver le sommeil. L'excitation qu'elle éprouvait en imaginant toutes les étapes de la journée du lendemain en était la cause. Elle pensait à la joie de sa mère, à la satisfaction de son père, au rire de sa sœur, au bonheur de tenir la main de Gabriel et de devenir enfin son épouse.

Lucie vint la réveiller de bonne heure afin de l'apprêter. Elle était en train de passer la robe de soie grise et bleue choisie pour la signature chez le notaire, lorsqu'elle entendit tambouriner avec force à la lourde porte d'entrée.

— Oh, là ! bougonna Lucie, quel importun vient déranger Madame si tôt un jour comme ce jour d'hui ?

Un pressentiment serra le cœur d'Adélaïde. Il était arrivé quelque chose de grave à ses parents ? À sa sœur ? À son frère ?

Son bustier n'était pas fini de lacer qu'elle dévala l'escalier conduisant au rez-de-chaussée.

# CHAPITRE

# 6

— Vous ? s'exclama-t-elle en découvrant Aniaba.

— Ah, demoiselle, demoiselle ! bredouilla-t-il à bout de souffle.

— Que se passe-t-il ?

— Ah, demoiselle... je... enfin... je...

Le jeune homme ne trouvait plus ses mots. Il tremblait et paraissait proche de la pâmoison.

Adélaïde se raidit. Elle comprit qu'Aniaba était porteur d'une mauvaise nouvelle. Et elle ne pouvait concerner que la famille de Gabriel. Mille suppositions se bousculèrent dans son esprit : Son père refusait-il brusquement leur union ? Un revers de fortune au jeu avait-il ruiné son promis ? Était-il souffrant ? Avait-il fait une mauvaise chute à cheval ? Leur mariage se trouvait-il repoussé de quelques jours, de quelques mois ?

Elle demeurait face à Aniaba, paralysée par la peur. Elle aurait voulu crier : « Parlez, mais parlez donc ! » Aucun son ne franchit ses lèvres.

Lucie qui avait suivi Adélaïde dit à Aniaba :

— Entrez dans le salon et remettez-vous, monsieur. Il semble que ce que vous avez à nous annoncer soit d'importance. Je cours prévenir Madame. Il est préférable qu'elle soit là.

— Oui. Vous avez raison.

Le majordome ouvrit la porte du salon, alluma un chandelier et attisa les braises du feu.

— Asseyez-vous, monsieur, proposa-t-il, je vais vous servir un verre d'alcool pour vous réconforter.

Aniaba se posa sur le bord d'un fauteuil. Mais tout son être était en alerte. Son regard ne parvenait pas à se fixer, ses jambes continuaient à trembler et ses mains se crispèrent sur les accoudoirs. Adélaïde était dans le même état que lui.

Quelques minutes plus tard, Mme de La Ferté, en robe de chambre, juste coiffée mais point encore fardée, entra dans la pièce, la mine soucieuse.

— Qu'avez-vous de si important à nous communiquer ? interrogea-t-elle.

— Ah, madame... commença le jeune Africain en se levant.

Il ne parvenait point à se décider à livrer son message, mais Mme de La Ferté le bouscula un peu :

— Au fait, jeune homme, au fait !

— Eh bien, hier au soir, Gabriel et quelques amis dont j'avais l'honneur de faire partie, nous étions dans une auberge pour fêter la fin de son célibat. Nous avons, je l'avoue, levé de nombreuses fois nos chopes au bonheur du marié.

— C'est ce que font en général les garçons la veille de leurs noces.

Aniaba sembla ne point l'avoir entendue et continua :

— Nous quittions l'estaminet lorsqu'un gentilhomme s'en prit violemment à moi. Il affirma que les nègres n'avaient pas leur place parmi les gens de qualité, qu'ils n'étaient utiles que comme domestiques et que, même dans cette tâche, ils étaient fort fainéants. Je ne relevai pas l'insulte pour ne point envenimer la situation.

— Sage résolution.

— Las, Gabriel sortit son épée de son fourreau et lança à ce malotru : « Monsieur, vous venez d'offenser mon ami, prince d'Assinie, et je vous en demande réparation. »

— Ciel ! s'écria Mme de La Ferté

Adélaïde, suspendue aux lèvres d'Aniaba, demeura muette. Son pouls s'était emballé en même temps qu'une vague d'orgueil la faisait rougir. Gabriel était bien le preux chevalier qu'elle attendait.

— L'autre lui lança : « Je suis le duc de Chaumont et je n'ai point pour habitude de reculer devant l'adversité. Alors, puisque tel est votre souhait, battons-nous ! »

— Il a convoqué en duel le duc de Chaumont ! L'insensé ! C'est un ami de Sa Majesté et une fameuse lame.

Alors, n'y tenant plus, Adélaïde souffla d'une petite voix :

— Et... il est mort ?

— Oui, demoiselle.

La jeune fille poussa un soupir qui semblait venir du fond de son être et s'écroula sur le sol. Sa tante sonna une domestique, s'agenouilla devant sa nièce, lui tapota les joues, et gronda Aniaba :

— Vous auriez pu mettre plus de délicatesse à lui annoncer la mort de son fiancé.

— Mais je...

Mauricette entra et tira de la poche de son jupon un flacon de sel qu'elle passa sous les narines d'Adélaïde. Celle-ci ouvrit les yeux, sourit faiblement, puis se souvenant brutalement de la cause de son malaise, éclata en sanglots.

— Ah, ma pauvre enfant, le destin est bien cruel avec vous, lui dit sa tante l'aidant à se relever et la conduisant jusqu'à un fauteuil où, plus morte que vive, Adélaïde se laissa choir.

Aniaba se jeta alors aux pieds de la jeune fille et, lui prenant une main, il reprit :

— Vous vous êtes méprise, ce n'est point Gabriel qui a trépassé, c'est M. le duc.

Le rose revint aux joues de la jeune fille et elle s'exclama, regardant tantôt sa tante, tantôt Aniaba pour qu'ils soient témoins de son bonheur recouvré :

— Vivant ! Il est vivant !

Mais sa tante répliqua d'un ton sec :

— Il eût mieux valu qu'il fût mort. Les duels sont interdits et sévèrement punis. De plus, il a choisi d'occire un proche de Sa Majesté. Il risque la prison ou même la mort !

Adélaïde ne put supporter de passer du désespoir à la joie pour retomber dans un nouveau gouffre. Des larmes silencieuses et résignées coulèrent sur ses joues sans qu'elle ait la force de lever le bras pour les essuyer.

— C'est pour éviter cela que Gabriel a emprunté un cheval et s'est enfui. Il veut se réfugier au Portugal où des amis pourront l'héberger.

— Seigneur ! s'emporta soudain Mme de La Ferté en marchant de long en large dans la pièce. Son nom à jamais souillé pour avoir enfreint la loi et tué un duc en duel ! Et que va-t-il advenir d'Adélaïde ? A-t-il pensé à tout cela, ce jeune écervelé ?

— Il n'a pensé, madame, qu'à venger mon honneur bafoué, et mon cœur saigne à l'idée que je suis la cause de tout ce malheur.

— Il est vivant, reprit Adélaïde, c'est tout ce qui m'importe. J'attendrai donc son retour.

Mme de La Ferté l'enveloppa d'un regard compatissant. Elle se devait de lui expliquer que cet exil pouvait être définitif ou très long et qu'il était préférable d'oublier celui par qui le scandale entrait dans leur famille.

Elle y renonça. Il était trop tôt. Mieux valait laisser le temps adoucir le chagrin de sa nièce.

# 7

Les premiers jours après cette funeste nouvelle furent abominables.

Mme de La Ferté se chargea d'annoncer à M. et Mme de Pélissier et aux nombreux invités que le mariage entre Adélaïde et M. de La Bonnerie était annulé. Mais la rumeur avait déjà fait son œuvre et les gens de la Cour connaissaient tout du duel mettant Gabriel en cause. Certains l'admiraient pour avoir défendu l'honneur d'un nègre quand d'autres assuraient qu'il était fort regrettable d'avoir sorti son épée pour un domestique noir. Certains le plaignaient d'avoir dû fuir quand d'autres pensaient qu'il méritait son sort puisqu'il avait enfreint la loi. Versailles bruissa de cet événement pendant plusieurs jours.

Mme de La Ferté reçut des messages de consolation qu'elle transmit à sa nièce, mais d'autres personnes se gardèrent bien de manifester leur amitié afin qu'on ne pût pas leur reprocher d'excuser un acte réprouvé par la loi.

Adélaïde demeurait enfermée dans sa chambre, prostrée.

Ses parents vinrent cependant la réconforter. Sa mère et sa sœur l'embrassèrent chaleureusement. Son père garda une certaine froideur. Il était outré par la conduite de son futur gendre et ne lui pardonnait pas que le nom des Pélissier puisse être associé à une telle ignominie.

— Qu'allons-nous faire de vous, ma pauvre enfant ? se lamenta-t-il. Aucun parti ne voudra d'une demoiselle mêlée à une si sombre affaire, seul peut-être un couvent, et encore, sans dot...

— Pour commencer, elle va regagner Séez afin de recouvrer sa sérénité, proposa sa mère.

— N'y songez point ! trancha M. de Pélissier. Le récit de notre infortune ne parviendra peut-être pas jusque chez nous. Alors que si Adélaïde rejoint notre maison, les gens vont s'étonner, se renseigner, cancaner, et c'en sera fait de notre réputation.

Adélaïde les laissait discuter. De toutes les façons, elle se plierait à la décision de ses parents. Et puis, tout lui était égal, maintenant que Gabriel n'était plus à ses côtés.

— J'allais vous proposer de garder Adélaïde près de moi, suggéra Mme de La Ferté, afin qu'elle devienne ma demoiselle de compagnie. Elle sera logée, nourrie, et je lui constituerai une dot qui lui permettra dans quelques années d'entrer dans un couvent si elle le désire. Et puisque je n'ai pas d'enfant, je m'engage à la coucher sur mon testament.

M. de Pélissier ne prit même pas le temps de la réflexion, il approuva aussitôt cette décision. Mme de Pélissier baissa la tête, puis s'approcha de sa fille et, la serrant contre son sein, elle lui murmura :

— C'est mieux pour vous. À Séez, l'ambiance aurait été étouffante.

Puis éloignant un peu sa fille, elle reprit plus haut :

— Je fais entièrement confiance à Émétine. Je sais qu'elle vous aidera de son mieux.

La présence de Marie-Cécile n'étant pas souhaitable lors de cet entretien, on l'avait isolée dans la chambre d'Adélaïde.

— Allez embrasser votre sœur avant son départ, lui conseilla Mme de La Ferté.

Les deux jeunes filles tombèrent dans les bras l'une de l'autre et pleurèrent beaucoup. Marie-Cécile aurait bien voulu que sa sœur revienne dans la maison familiale pour reprendre ensemble leurs discussions, leurs promenades, leurs visites dans les ateliers de dentelle. Et Adélaïde, qui s'était interdit de flancher devant ses parents, laissa libre cours à son chagrin.

— Je sais que le moment n'est point aux réjouissances, pourtant... commença Marie-Cécile après avoir séché ses larmes, j'avais une nouvelle qui me touche de près à t'annoncer.

— Oh, Marie-Cécile, serait-ce au sujet de la dentelle ?

— Si fait. Je n'aurai plus besoin de me cacher. Père a enfin cédé. Après avoir reçu l'enseignement de Mme Coulon, je vais entrer à la manufacture royale d'Alençon. Mère a eu une vive discussion avec père. J'étais derrière la porte pour guetter leurs réactions...

Adélaïde imagina la scène et, malgré son chagrin, elle plaisanta :

— Coquine, je vois que tu n'as pas changé !

— Mère, en s'appuyant sur la réussite de sa famille dans la dentelle, est parvenue à convaincre notre père qu'être dentellière n'avait rien de déshonorant. Si je devenais maîtresse dentellière, les bénédictines m'accueilleraient à bras ouverts et j'enseignerais aux orphelines qu'elles hébergent.

— Le couvent ?.... mais ne rêvais-tu pas qu'un gentilhomme t'enlève sur son cheval blanc ?

— Puisque je n'ai pas les finances pour ouvrir un atelier, le couvent est l'unique moyen pour vivre honorablement de ma passion. D'ailleurs, père a cédé parce que, ainsi, il n'avait plus à se soucier de mon établissement. J'entrais au couvent sans dot, ce qui était totalement inespéré.

— Si tu penses que là est ton bonheur...

— Il faut savoir faire contre mauvaise fortune bon cœur et le mariage avec la dentelle me comble. Au moins, c'est moi qui choisis ! Et je n'aurais pas à redouter que mon prétendant soit vieux et bossu !

Cette repartie les fit sourire. Marie-Cécile avait une joie de vivre communicative.

— Le contrat d'apprentissage sera signé dans le mois, et dans deux ou trois ans, si Dieu le veut, je serai maîtresse dentellière.

Elle garda le silence un moment, soupira et avoua :

— Certes, le moment était favorable pour ouvrir un atelier. À Alençon, beaucoup de huguenots qui en tenaient sont contraints de s'exiler à l'étranger et vendent à bas prix tables, chaises, fils, aiguilles, presse à reproduire les patrons, et même leurs vélins. Mais je n'ai pas un sou, alors j'entrerai au couvent et j'enseignerai mon art aux jeunes orphelines.

— Si c'est là ta voie, je suis heureuse pour toi.

— J'aimerais pouvoir te dire la même chose, soupira Marie-Cécile, mais, je...

Afin de ne pas retomber dans la tristesse qui s'était un instant éloignée, Adélaïde se força à la gaieté et coupa :

— Pour l'instant, disons que mon bonheur a été mis entre parenthèses, mais Gabriel et moi sommes encore jeunes et patienter un an ou deux ne peut que renforcer nos sentiments.

— Je reconnais bien là ton courage. Je prierai pour que votre séparation ne soit point trop longue.

— Je prierai pour que tes doigts réussissent à créer les plus belles dentelles du royaume !

Le lendemain, Adélaïde resta alitée, les volets clos, ne trouvant point de motif pour se lever et se vêtir. Sa vie lui apparut vide et les jours, les mois, les années qui allaient s'écouler dans l'attente du retour de Gabriel la terrifièrent.

Sa tante pénétra dans sa chambre alors que les douze coups de midi avaient sonné à la pendule de bronze du salon.

— Comment ? gronda-t-elle, Lucie m'informe que vous refusez de quitter le lit !

— À quoi bon.

— Mais le roi nous attend, ma chère !

— Allez-y sans moi.

— Vous avez tort. Sa Majesté est la seule personne à pouvoir lever la sanction contre Gabriel. Alors, si vous voulez réduire son exil, il faut vous montrer.

Cette proposition tira Adélaïde de sa torpeur. Elle se redressa sur ses oreillers et demanda :

— Croyez-vous que cela soit possible ?

— Ah, ma chère, je ne suis pas devin. Mais si vous avez un peu de sentiment pour Gabriel, il faut tout tenter. Vous êtes jeune, jolie, vous avez de l'esprit : des qualités que Sa Majesté apprécie. À vous de les utiliser à bon escient.

— Je... je ne saurai pas.

— Je connais bien la Cour, je vous guiderai. Cependant, si vous ne quittez point cette chambre, je ne pourrai rien pour vous... et vous ne pourrez rien pour Gabriel.

Cette fois, Adélaïde rejeta drap et couvertures.

— À la bonne heure ! J'appelle Lucie qui vous apprêtera. La calèche nous conduira à Versailles pour assister à la promenade journalière du roi. Des informateurs qui connaissent votre situation m'ont avertie que Mme de Maintenon, souffrante, n'y participerait point.

Lucie entreprit aussitôt de laver, coiffer, farder, poudrer et habiller Adélaïde qui avait du mal à rester sagement assise sur un tabouret, tournant la tête constamment pour interroger sa tante.

— Que devrai-je dire ?

— Il faudra saisir le bon moment pour vous présenter sans pour cela importuner le roi. C'est un art difficile... mais je le maîtrise assez bien. J'ai le bonheur de plaire à Sa Majesté qui apprécie mon humeur joyeuse et ma conversation.

— Oh, j'ai peur de ne pas savoir bien me comporter et...

— Il ne faudra parler que si le roi vous adresse lui-même la parole. Et si comme réponse vous avez un bon mot, sans être insolente, ou un compliment sans être obséquieuse... vous gagnerez l'attention du roi.

— Je ne saurai jamais.

— Pensez à Gabriel, cela vous aidera. Mais, je vous en prie, ce jour d'hui ne prononcez point son nom. L'affaire est trop récente et, en voulant aller trop vite, vous perdriez tout crédit. Contentez-vous de vous faire gentiment remarquer, afin que Sa Majesté ait envie de vous revoir.

— Je ne saurai jamais, répéta Adélaïde.

— Je suis persuadée du contraire, sinon, je ne me donnerais pas la peine de vous conduire à Versailles.

Adélaïde sourit à sa tante. Cette femme savait lui redonner courage.

— Pouvez-vous me faire répéter la révérence ? demanda-t-elle après qu'elle fut parée.

— Vous l'exécutez déjà avec beaucoup de grâce.

À cet instant, le majordome vint annoncer qu'un jeune nègre demandait à être reçu. Il dit cela du bout des lèvres, jugeant sans doute indécent qu'un domestique par qui le scandale était entré dans la maison ose venir importuner sa maîtresse.

Aniaba s'inclina devant Mme de La Ferté, puis devant Adélaïde. S'adressant à la première, il lui dit :

— Je vous prie, madame, de bien vouloir excuser mon intrusion dans votre demeure... mais je me devais de m'expliquer. Il y a trop longtemps que je suis contraint au silence. Et si j'avais, comme mon rang m'y autorise, porté l'épée, c'est moi qui aurais occis ce scélérat de duc.

— Nous avons peu de temps à vous consacrer, jeune homme, s'insurgea Mme de La Ferté.

— Quelques minutes suffiront à convaincre un esprit comme le vôtre que je suis sincère.

— Nous vous écoutons, dit Mme de La Ferté en s'asseyant dans un fauteuil et en désignant les deux autres à Adélaïde et à son hôte.

Aniaba conta son enfance en Assinie, la venue du chevalier d'Amon, les promesses faites au roi Zéna et son départ avec Banga afin que tous deux servent de garants pour l'établissement d'un fort sur la côte d'Assinie. Pour éviter les longueurs, il omit de parler de la rivalité entre les Essouma et les Étiolé, du massacre de son père et de son désir de revenir avec une armée venger son peuple. Il ne mentionna point non plus l'existence de Bama-Li.

La jeune esclave restait dans un coin de son cœur, mais il refusait d'y penser pour ne point s'attendrir.

— Ainsi, vous êtes bien prince d'Assinie, s'étonna Mme de La Ferté.

— Parfaitement. Je suppose que les projets du chevalier d'Amon ont changé. Sans doute suis-je devenu encombrant ou gênant. Il n'envisage plus de me présenter à la Cour et il m'a volontairement oublié chez M. Hyon.

— Et qu'est devenu Banga ?

— Nous nous sommes disputés. Il a quitté l'échoppe de maître Hyon et j'ignore où il est. Lorsque mon rang me sera rendu, j'entreprendrai des recherches pour le retrouver et le garder près de moi.

Mme de La Ferté réfléchit un moment en silence, puis s'adressa à sa nièce :

— Il me semble que vous avez là le moyen de faire d'une pierre deux coups : vous réussissez à intéresser Sa Majesté au sort d'Aniaba, et comme ce jeune prince et Gabriel sont liés par l'affaire du duel... vous parvenez petit à petit à parler de Gabriel et des sentiments qui vous unissent...

— Oh, ma tante, ce que vous me demandez là est par trop difficile !

— Effectivement, s'interposa Aniaba, je refuse que Mlle Adélaïde se mette en danger de déplaire à Sa Majesté pour moi alors que c'est ma faute si cet affreux duel a eu lieu !

— Certes, cette affaire est compliquée, mais en même temps, je gage qu'elle retiendra l'attention de Sa Majesté... et c'est cela le plus important. Le roi est si souvent importuné par des courtisans qui sollicitent l'augmentation de leur pension, la faveur d'être invités à Marly ou une charge à la Cour qu'un récit comme le vôtre le changera.

— Puissiez-vous dire vrai !

— Cependant, il faut que ce soit Adélaïde qui plaide votre cause. Comme je vous l'ai expliqué tantôt, le roi est sensible à la jeunesse et à la beauté.

Alors Aniaba mit un genou en terre devant Adélaïde.

— Ah, demoiselle, je venais pour... pour implorer votre pardon, car depuis cet affreux duel, je dépéris. Gabriel m'avait promis de parler de ma triste situation au roi et c'est à présent vous que je supplie de bien vouloir poursuivre ce que mon ami avait entrepris.

Soudain consciente d'être la seule à pouvoir sauver Gabriel et Aniaba, Adélaïde releva la tête et dit d'une voix que la détermination avait affermie :

— Je m'y engage, monsieur.

# CHAPITRE
# 8

Mme de La Ferté pressa le cocher de telle manière qu'à une lieue du château, la calèche manqua verser dans le fossé ! Adélaïde en fut effrayée, mais sa tante s'inquiéta surtout de la coiffure de sa nièce et du retard qu'elles allaient encore prendre s'il fallait se faire recoiffer dans une des boutiques installées contre les grilles du parc.

Elle tapota les boucles d'Adélaïde, renoua ses rubans et, contente du résultat, lui dit :

— Tout compte fait, ce léger remue-ménage de votre chevelure vous donne un côté primesautier qui vous va à ravir.

— Votre coiffure n'a point bougé, s'étonna sa nièce.

— Tant mieux. À mon âge, seule la parure nous sauve du naufrage !

Elle prononça cette maxime le souris aux lèvres, se sachant encore fort désirable bien qu'ayant dépassé les trente-cinq ans.

La calèche se faufila parmi des dizaines d'autres voitures et de nombreuses chaises à porteur avant de trouver une place dans l'avant-cour.

— Venez vite ! l'exhorta sa tante, Sa Majesté doit déjà sortir du château par le vestibule de la cour de marbre. Il faut arriver sur la terrasse avant qu'Elle ne descende vers le bassin de Latone. La promenade est immuable. Le roi en a décidé ainsi et a même écrit de sa main *La Manière de montrer les jardins de Versailles*.

Lorsqu'elle était enfant à Séez, Adélaïde aimait à courir dans les champs, mais elle n'était pas encombrée par l'ampleur d'une robe de soie en gros de Tours[1], surmontant trois jupons, et n'avait point l'estomac compressé par un corps tout neuf. Elle saisit sa jupe à deux mains pour suivre sa tante qui avançait à pas rapides.

— Oh, Seigneur ! se lamenta tout à coup Mme de La Ferté, le roi a déjà descendu les premiers degrés de l'escalier. C'est fâcheux... cependant, ne vous laissez pas troubler par ce contretemps et, dès que le roi vous apercevra, faites-lui incontinent votre révérence.

---

1. Soie lourde de belle qualité.

Mme de La Ferté s'arrêta une fraction de seconde, tapota sa jupe, arrangea une mèche de cheveux de sa nièce et lui dit :

— Allons-y. Souriez, soyez gaie et gracieuse.

Quelques marches plus bas, les courtisans admiraient les jardins, complimentant le roi sur un bosquet, une statue, une fontaine afin de bien faire leur cour.

La nervosité s'empara d'Adélaïde.

Elle avança le pied, manqua la marche, poussa un cri strident, fit des moulinets de bras pour se retenir et, emportée par son élan, dévala en courant et en sautant les degrés pour aller s'effondrer devant le roi. Anéantie par la honte, elle ferma les yeux. Quelques rires moqueurs fusèrent. Un regard réprobateur du roi les arrêta. Mme de la Ferté s'était précipitée vers sa nièce, mais avant qu'elle n'ait fait un geste, le roi s'était penché et avait tendu la main à Adélaïde.

— Eh bien, demoiselle, voici une façon bien rapide de vous présenter à nous.

Adélaïde hésitait à toucher la royale main. Pourtant, ne serait-ce pas faire affront au roi que de la refuser ? Elle la saisit donc le plus délicatement possible, se releva vitement et la lâcha tout aussi promptement. Elle était rouge de confusion, ses cheveux déliés pendaient sur ses épaules et le bas de sa robe était déchiré. Se souvenant alors des recommandations de sa tante, elle fit la révérence.

Les courtisans se gaussèrent[1] une nouvelle fois devant le spectacle de cette fille dépenaillée s'inclinant devant le roi.

— Qui est cette charmante demoiselle ? demanda le roi à Mme de La Ferté.

Oubliant qu'elle avait promis de ne point prononcer le nom de Pélissier afin que le roi ne puisse pas faire le rapprochement avec la demoiselle chassée de Saint-Cyr, Mme de La Ferté répondit :

— Ma nièce, Adélaïde de Pélissier. Elle vient de Normandie et brûlait d'impatience et de joie à l'idée de vous rencontrer, ce qui explique son faux pas, dont nous supplions Votre Majesté de ne point lui tenir rigueur.

Le roi fronça les sourcils et ajouta :

— Pélissier ? N'était-ce pas le nom de la promise de ce scélérat qui, la veille de son mariage, a occis en duel mon cher ami le duc de Chaumont ?

Des murmures réprobateurs parcoururent le groupe des courtisans. Quelle audace, vraiment, d'oser paraître devant Sa Majesté après un tel forfait !

Adélaïde ne les entendit point. Mais le mot de *scélérat,* en lui transperçant le cœur, lui donna la force de réagir.

Tremblante de crainte et de colère contenues, elle dit d'une voix qu'elle s'efforça de rendre claire et ferme :

1. Se moquèrent.

— Sire, Gabriel Ruault de La Bonnerie n'a rien d'un scélérat. S'il s'est battu en duel, c'est pour venger l'honneur du prince d'Assinie malmené par M. le duc.

— Le prince d'Assinie ? s'étonna le roi en prenant à témoin les gens de la Cour. On vous aura conté des lanternes[1]. Il n'y a aucun prince de ce pays sur notre territoire.

Le roi lui servait, sur un plateau, l'occasion de parler d'Aniaba, alors sans plus réfléchir, elle lança :

— Sauf le respect que je vous dois, sire, c'est à vous que l'on a conté des balivernes, car Aniaba, prince d'Assinie, est en France depuis plusieurs mois. Je l'ai vu de mes yeux, je lui ai parlé et il est même de mes amis !

— Comment se fait-il qu'il ne soit pas venu nous présenter ses civilités ? s'informa le roi en cherchant dans l'assistance un de ses ministres pouvant répondre à cette question.

Louis Phélypeaux de Pontchartrain[2] fit un pas vers le roi, s'inclina et bredouilla :

— Nous ignorions, Votre Majesté, que le prince d'Assinie était sur notre territoire. Nous allons immédiatement le faire quérir... et l'informer que vous souhaitez le recevoir.

1. Balivernes, mensonges.
2. Louis Phélypeaux de Pontchartrain fut secrétaire d'État de la Maison du roi, mais également chargé de la marine et des finances entre 1690 et 1699.

Contrarié, le roi dit à son ministre :

— Il est bien regrettable, monsieur, que ce soit une demoiselle qui me donne des informations sur ce qui se passe dans mon royaume quand on m'affirme que nous possédons la meilleure police d'Europe.

M. de Pontchartrain, plié en deux, cachait au mieux sa colère. Il n'allait tout de même pas être congédié parce qu'une gamine avait révélé l'existence d'un prince venu d'Afrique. Comment se faisait-il que celui qui l'avait fait venir jusqu'à Paris ne se soit pas manifesté ? Il faudrait qu'il confie au sieur de La Reynie, lieutenant général de police, le soin de tirer cette affaire au clair. Au moins, il ne serait pas le seul à subir les foudres du roi !

Puis, comme si rien de fâcheux n'était jamais venu le déranger, le roi annonça d'une voix sereine :

— Poursuivons notre visite, les jardins sont si beaux !

Il s'engagea dans l'allée, les yeux déjà rivés sur les eaux jaillissantes du bassin de Latone. Les courtisans lui emboîtèrent le pas.

Adélaïde resta pétrifiée au bas des marches. Tout s'était déroulé trop vite. Elle venait de laisser passer l'occasion de plaider la cause de Gabriel. Le remords lui fit venir les larmes aux yeux.

Sa tante hésita : réconforter sa nièce ou marcher avec le roi afin que leur absence à toutes les deux ne soit pas un motif de disgrâce royale ?

Lorsque Adélaïde s'effondra entre ses bras, elle n'eut plus le choix.

— Je n'ai pas su m'y prendre... J'aurais dû dire que Gabriel n'était point le responsable de ce duel... qu'il avait sorti son épée pour sauver l'honneur d'Aniaba... Tout est perdu !

— Au contraire, vous avez agi sagement. Vous avez posé les premiers jalons. À présent, le roi vous connaît et, grâce à vous, Aniaba recouvrera son rang de prince. Ni l'un ni l'autre ne l'oublieront.

— Mais... Gabriel...

— Il était trop tôt pour parler de son sort. Laissez cette triste affaire s'estomper dans l'esprit du roi.

— Vous croyez ?

— Chaque chose en son temps. Ce jour d'hui, vous avez aidé le prince Aniaba. Plus tard, je suis certaine que vous tirerez Gabriel de sa pénible situation.

Mme de La Ferté n'était pas tout à fait sincère. Elle savait que le roi ne revenait pas facilement sur ses décisions. Mais ce n'était pas le moment de l'annoncer à Adélaïde.

# 9

Entourée d'affection par sa tante, Adélaïde se remettait lentement du coup que le destin lui avait infligé. Cependant, les livres ne parvenaient plus à la distraire et elle occupait le plus clair de son temps à imaginer divers stratagèmes afin d'obtenir du roi le retour en grâce de Gabriel.

— Un peu de patience, ma chère, lui répétait Mme de La Ferté. Brusquer les choses ne donnerait pas le résultat escompté.

L'inaction lui pesait. Elle aurait voulu remuer ciel et terre pour que Gabriel soit à nouveau près d'elle. Un jour, elle annonça même à sa tante :

— Puisqu'il ne peut venir à moi, je vais partir le rejoindre au Portugal.

— Je ne vous laisserai pas commettre cette folie !

Il vous faudrait traverser la France et une partie de l'Espagne, ce qui, sans escorte, se révèle des plus périlleux, et vous ne savez même pas où il se cache.

— Qu'importe, je le trouverai.

Agacée par les réponses de sa nièce, Mme de La Ferté reprit :

— Et puis, une demoiselle de seize ans courant rejoindre un gentilhomme banni par le roi et qui n'est pas encore son époux mettrait un comble au déshonneur dont votre famille souffre déjà.

Adélaïde fit la moue et insista :

— N'y a-t-il donc rien à faire ?

— Attendre, mon enfant... Pour l'heure, c'est la meilleure façon de venir en aide à Gabriel.

Adélaïde soupira :

— Je vais périr d'ennui.

— On ne s'ennuie jamais quand on a la chance de vivre dans l'entourage du roi.

Adélaïde allait répliquer que les divertissements ne lui feraient pas oublier l'absence de Gabriel, lorsque le majordome vint annoncer que le prince Aniaba demandait à être reçu.

— Il ne vous quitte plus, ma chère, minauda Mme de La Ferté. Il voudrait prendre la place de Gabriel que cela ne m'étonnerait qu'à moitié... Et ma foi, un prince dans notre famille, cela devrait plaire à votre père.

— Oh, ma tante ! se troubla Adélaïde, comment osez-vous supposer que...

— Il est jeune, il a beaucoup d'allure et j'ai ouï dire que l'Assinie regorgeait d'or, d'ivoire, d'ambre. Vous deviendriez reine d'Assinie. Ce serait un bel établissement.

— Mais c'est Gabriel que j'aime !

— Je le sais. Cependant, ma petite fille, je vous rappelle que, pour l'heure, nous ne savons même pas s'il a pu atteindre le Portugal, et pour quelqu'un qui se disait fort amoureux de vous, il n'a pas encore trouvé le moyen de vous envoyer un billet pour vous rassurer. C'est peu digne d'un gentilhomme de qualité.

Adélaïde baissa la tête. Le même raisonnement l'avait assaillie, mais elle l'avait fait taire.

— Et puis, je vois dans ce duel la veille de vos noces comme... comme un signe céleste. Dieu n'a point voulu que vous épousiez Gabriel parce qu'il vous réservait une plus belle destinée.

Cette fois, Adélaïde fut touchée.

— Je suis si heureux ! s'exclama Aniaba en pénétrant dans la pièce. Sa Majesté vient de me faire savoir qu'elle accepte de me recevoir demain en audience particulière à cinq heures de relevée. Et cela grâce à vous !

Mme de La Ferté saisit là l'opportunité de rapprocher le prince de sa nièce et corrigea :

— Grâce à Adélaïde, c'est elle qui a parlé au roi.

Aniaba mit alors un genou en terre devant la jeune fille, lui saisit la main et murmura d'une voix où perçait l'émotion :

— Ah, demoiselle, tous les dieux de la nature étaient présents à votre naissance, vous accordant la beauté, la douceur, la sagesse et le courage !

Gênée par cette déclaration, Adélaïde rougit, ce qui, cette fois encore, troubla Aniaba. Il était furieux contre lui. Son cœur était déjà pris par Bama-Li. Il n'avait pas le droit de lui être infidèle, même en pensée.

Mme de la Ferté s'étonna d'entendre le jeune homme évoquer les « dieux de la nature ». S'il était païen, plus question de pousser sa nièce vers lui, tout prince qu'il soit.

— N'êtes vous point chrétien ? l'interrogea-t-elle.

— Pas encore, madame, mais je brûle de le devenir. En Assinie, deux missionnaires m'ont enseigné les bases de la religion catholique et je suis depuis peu, avec assiduité, le catéchisme à l'église Saint-Sauveur.

— Tant mieux, cela facilitera votre introduction à la Cour. Sa Majesté hait les hérétiques, et même si vous êtes le musicien, le peintre, le sculpteur, le scientifique, le navigateur le plus talentueux de ce siècle, vous n'avez aucune chance de lui plaire si vous n'êtes point catholique. Et c'est pitié de savoir que nombreux sont ceux qui ont fui la France pour exercer leur art chez nos ennemis quand ils ne s'embarquaient pas pour le Nouveau Monde !

— Voilà, madame, qui m'étonne de la part du plus grand roi de la terre !

— Las, les rois aussi ont leurs faiblesses dont ils s'imaginent qu'elles sont une force... mais laissons cela et parlons de vous. Avez-vous une tenue convenable pour paraître devant Sa Majesté ?

— Je n'ai que celle que j'ai fait confectionner en arrivant chez maître Hyon et que je porte le dimanche pour me rendre à la messe. Le tissu est solide et la coupe est bonne.

— Avez-vous une chemise fine, des bas, des chaussures à talon, des gants, une épée et une perruque convenable ?

— Rien de tout cela. En quittant la maison de maître Hyon, mon ami Banga m'a emprunté ma bourse et ne me l'a point encore rendue. Pensez-vous que ma mise simple incommodera le roi ?

— Ne vous inquiétez pas, je me charge de vous fournir ce qui vous manque. Passez, demain après dîner, Mauricette vous apprêtera.

— Je voulais aussi vous demander, madame, s'il vous est possible de m'accompagner. Vous connaissez tout de Versailles et je suis totalement ignorant de la façon dont on doit s'y comporter. Je ne voudrais pas commettre une faute pouvant indisposer Sa Majesté et les personnes de son entourage.

— Il est vrai que vous allez faire vos premiers pas dans un monde étrange dont il faut connaître les règles... Je veux bien être votre guide, car j'affectionne particulièrement ce pays-ci[1] et je dois aussi faire en sorte qu'Adélaïde y soit à l'aise. Or, pour l'instant, elle n'en sait guère plus que vous !

Le lendemain, Aniaba se présenta une heure après midi.

Mme de La Ferté et Adélaïde avaient rapidement dîné afin d'avoir tout le temps de se préparer. M. de La Ferté était déjà à Versailles pour remplir ses fonctions et faire le siège du premier valet de chambre du roi afin d'obtenir un logement à Versailles dès qu'il y en aurait un vacant.

— Mon époux est un courant d'air, plaisantait Mme de La Ferté. Il entre, il sort sans m'en informer. Je ne sais jamais où il est. Je ne m'en plains pas. Un homme qui ne vous contraint en rien, qui n'est l'objet d'aucune mauvaise rumeur, et qui subvient largement à vos besoins, est précieux. Notre entente est parfaite.

Mme de La Ferté fronça le nez devant le costume fort sobre que portait le jeune homme et, lui tournant autour pour vérifier les détails de sa tenue, elle se moqua :

1. Nom donné à la Cour.

— Vous avez tout du paysan endimanché ! Votre tailleur a fait au plus juste sans se soucier de ce qui se porte en ce moment à la Cour. Heureusement mon époux a, dans ses malles, plus de linge que nécessaire et j'en ai extrait une « petite oie » qui devrait vous plaire.

— Une... une petite oie ? s'étonna Aniaba.

— Il ne s'agit pas du volatile, lui apprit-elle, mais d'un ensemble de rubans ornant le col, les gants, les poignets d'un habit. Tout est en beau point de France.

— Je suis confus...

— Oh, vous apprendrez vite les subtilités de notre langue.

Adélaïde se tut. Mais elle ignorait, elle aussi, ce qu'était une petite oie. Elle caressa du bout des doigts les merveilleux ruchers de dentelle. Elle espérait que bientôt Marie-Cécile réaliserait son rêve et en fabriquerait d'aussi beaux.

— Mauricette, aidez donc le prince Aniaba à arranger tout cela au mieux.

Mme de La Ferté désigna un paravent en laque noire recouvert de motifs chinois dont elle était très fière. Tout ce qui venait de la Chine était fort à la mode et le roi lui-même avait cédé à cet engouement. Mauricette qui était restée debout dans le fond de la pièce s'avança. Elle tenait à la main des bas, une perruque et un chapeau.

Quelques instants plus tard, Aniaba quitta la protection du paravent.

— Eh bien ! s'extasia Mme de La Ferté, voilà un prince des plus avenants !

Adélaïde ne joignit pas sa voix à ces louanges, mais elle reconnut qu'Aniaba avait fière allure ainsi vêtu.

— Je me sens gauche avec cette perruque et ce chapeau couvert de plumes et de rubans, se plaignit le jeune homme.

— Il faudra pourtant vous y faire, car c'est la tenue des gentilshommes et cela vous sied à merveille.

— Dans ce cas... comme je souhaite pouvoir bien servir mon peuple, je me conformerai aux usages de la Cour.

— Je vais essayer de vous obtenir une entrée pour le Grand Couvert et une autre pour le Grand Lever, proposa Mme de La Ferté.

Devant l'air ahuri d'Aniaba, elle expliqua :

— Ceci afin que vous assistiez au lever et au repas de Sa Majesté.

— Le roi de France accepte-t-il donc de... de se vêtir et de manger en public ? Zéna, notre roi, ferait couper la tête à celui qui le surprendrait dans ces actes si... si intimes.

Mme de La Ferté éclata de rire et enchaîna :

— Ah, que vous êtes plaisant de vous étonner de ces choses ! Le roi accorde ce privilège à des gentilshommes et à des dames qu'il veut honorer. Et je vous assure que la liste des gens qui sollicitent cette faveur est longue ! C'est l'occasion de se faire voir par Sa Majesté et il est toujours avantageux que le roi connaisse votre visage !

Réfléchissant un moment, elle ajouta :

— Il serait bon, pour l'affaire qui nous concerne, qu'Adélaïde soit invitée en même temps que vous... Je m'en occupe dès demain.

Puis, après avoir jeté un coup d'œil à la pendule de bronze trônant sur la cheminée, elle s'alarma :

— Oh, Seigneur, l'heure tourne et il ne faudrait pas commettre l'erreur d'arriver deux fois à la suite en retard pour la promenade de Sa Majesté !

Elle examina la tenue de sa nièce et, n'étant point satisfaite, elle dit à Mauricette :

— Ajoutez quelques rubans dans sa chevelure afin de bien retenir ses boucles, et poudrez-la avec soin...

Adélaïde n'osait pas contrarier sa tante, mais elle n'avait point le cœur à jouer les coquettes. Le jeune prince le comprit sans doute, car un souris complice illumina son visage d'un éclair dont la blancheur subjugua Adélaïde.

# 10

Aniaba, la tête dans l'ouverture de la portière, maintenait le mantelet de cuir de la main afin de ne rien manquer de l'arrivée devant le château. Les missionnaires le lui avaient tellement vanté et il en avait tant rêvé ! À présent, il allait le voir et y pénétrer. Il avait du mal à le concevoir. Les grilles d'or fermant l'accès à la cour et qui étincelaient au soleil l'éblouirent.

— La France regorge-t-elle de mines d'or ? s'enquit-il.

Mme de La Ferté était aux anges ! Les reparties d'Aniaba la divertissaient et la changeaient des conversations ennuyeuses de salon.

— Hélas, non ! C'est pour cela que Sa Majesté souhaite commercer avec votre pays qui en possède beaucoup.

Aniaba s'étonna encore de la foule disparate qui grouillait devant ces magnifiques grilles : vendeurs de toutes sortes, portefaix, cochers, calèches, cavaliers, servantes, lavandières portant du linge dans de grandes panières, mendiants, gentilshommes en habit, mousquetaires... Que tous ces gens se pressent pour voir ou servir leur roi lui prouvait bien que Louis le quatorzième était le plus grand roi de la Terre.

L'angoisse monta en lui. Ne perdrait-il pas toutes ces facultés lorsqu'il se trouverait face à Louis le Grand ? Saurait-il bien plaider sa cause ? À cet instant, il croisa le regard d'Adélaïde et y lut la même angoisse. En effet, Adélaïde essayait d'échafauder un plan qui lui permettrait de parler de Gabriel. Décidément, pensa-t-il, nous sommes faits pour nous entendre.

Dès que la calèche s'arrêta, Aniaba sauta sur les pavés et, comme M. Hyon lui avait appris à le faire pour satisfaire sa clientèle, il déploya le marchepied et tendit la main à Mme de La Ferté, puis à Adélaïde pour les aider à descendre. Mais Mme de La Ferté lui rappela :

— Aniaba, vous êtes prince d'Assinie, et vous n'avez plus à tenir le rôle d'un serviteur. Laissez cela au cocher ou aux valets.

— Il n'est pas aisé pour moi de changer d'emploi en si peu de temps, sans compter qu'être prince ici me paraît beaucoup plus compliqué qu'en Assinie.

— Certes, ajouta Mme de La Ferté.

Elle se doutait bien que, dans le pays où avait grandi Aniaba, les coutumes n'avaient rien à voir avec celles de la Cour de France. Elle espérait secrètement que ce jeune prince, séduit par la civilisation et aussi par Adélaïde, s'établirait à Paris, administrant de loin ses affaires et faisant seulement quelques déplacements dans son pays pour aller y chercher de l'or nécessaire à son train de vie et... à sa jeune épouse. Adélaïde, princesse... Quelle magnifique destinée ! Un établissement qui ferait oublier le fiasco des premières fiançailles. Franchement, il n'y avait aucune comparaison entre un gentilhomme dont la charge rapporterait six cents livres par an, banni par le roi, et un prince dont le pays regorgeait d'or, reçu à la Cour. La couleur de la peau n'était point un obstacle, l'exotisme était à la mode.

Ainsi pensait Mme de La Ferté en se dirigeant, Adélaïde à sa droite, Aniaba à sa gauche, vers l'escalier que le roi allait emprunter. Elle s'était renseignée. Le roi ne chasserait point ce jour d'hui, il ferait donc une promenade dans ses jardins, car, chacun le savait à Versailles, Sa Majesté goûtait le grand air et ne pouvait point passer un jour sans sortir.

— Plaçons-nous en haut des degrés, ordonna Mme de La Ferté. Ainsi le roi nous verra dès qu'il sortira des bâtiments. N'oubliez pas la révérence. Souriez, mais point trop. Mordez-vous les lèvres, Adélaïde, pour en aviver la couleur... et arrangez cette mèche de cheveux rebelle. Et vous, monsieur, ôtez votre chapeau et balayez le sol devant vous, comme je vous l'ai appris, courbez-vous, mais point trop non plus, vous n'êtes pas un valet, et ne regardez pas Sa Majesté dans les yeux...

C'était à présent à Mme de La Ferté de s'inquiéter et elle communiquait sa nervosité aux deux jeunes gens.

Aniaba avait à peine eu le temps d'apercevoir la façade majestueuse du bâtiment, l'immense terrasse, les allées bien ratissées et plus loin la verdure des bosquets. Mais le peu qu'il en avait vu l'avait émerveillé. Il revit la case en bois de Zéna qu'il trouvait imposante. Il comprit mieux les sourires moqueurs de d'Amon et de ses hommes. Lui-même éprouva une sorte de honte à être le prince d'un État si misérable. Si Louis XIV acceptait de l'aider à reconquérir la terre d'Assinie, il se promettait d'œuvrer pour en faire un pays riche.

Lorsque des bruits de conversation leur parvinrent, indiquant que le roi et la Cour approchaient, Mme de La Ferté leur souffla avant de s'éclipser :

— Je me retire. C'est vous que le roi doit voir et...

Le roi avançait. Une dizaine de gentilshommes et presque autant de dames le suivaient.

— Avons-nous reçu les grands vases d'Anduze[1] pour l'orangerie ? demanda le roi à André Le Nôtre qui marchait à son côté.

— Oui, Votre Majesté. Nous allons bientôt y planter une nouvelle variété de citronniers dont la fleur est des plus parfumées.

Tout à coup, le roi vit Adélaïde et Aniaba. Leurs révérences furent parfaites, bien que les jambes d'Adélaïde se fussent mises à trembler et qu'Aniaba craignît subitement de ne plus savoir parler le français.

Sa Majesté accorda un souris à la jeune fille, mais il s'adressa à Aniaba :

— Nous sommes satisfaits, prince d'Assinie, de vous recevoir en notre pays.

Le bonheur de rencontrer enfin Louis XIV fit qu'Aniaba oublia toute retenue et s'exclama :

— Ah, sire, il y a si longtemps que j'espère le bonheur de vous voir !

Le roi ébaucha un souris et ajouta :

— Joignez-vous à nous pour la promenade. Nous aurons plaisir à vous montrer nos jardins. Cette

---

1. Beaucoup des grands vases en terre ornant les jardins de Versailles venaient d'Anduze (Gard).

charmante demoiselle, Adélaïde, nous souvenons-nous, nous accompagnera également.

Adélaïde s'inclina. Elle n'avait plus de voix. Elle chercha sa tante du regard, mais ne la vit pas. Elle régla donc son pas sur celui des courtisans.

— Approchez-vous, monsieur, dit le roi à Aniaba.

Il désigna d'un mouvement de sa canne enrubannée une fontaine gazouillante et annonça :

— Latone[1] ! Une œuvre de Gaspard et Balthazar Marsy.

Aniaba ignorait qui était Latone. Il supposa que c'était cette femme implorante, retenant son enfant de la main ; sa blancheur de marbre et ses formes parfaites le fascinèrent. Elle était entourée de grenouilles d'or aux gueules ouvertes crachant de l'eau. Il n'avait jamais rien vu de tel. Tout ce luxe, ce raffinement, était vraiment le signe d'une grande nation. Quelle chance il avait de marcher à côté du maître d'un tel royaume ! Machinalement, il caressa la fétiche qu'il avait cachée entre la chemise de lin fin et sa peau afin qu'elle continue à le protéger.

Le roi lut l'admiration dans le regard du prince et cela le charma. Les courtisans qui l'accompagnaient ne s'étonnaient plus de rien depuis si longtemps ! Lui ne se lassait jamais de ses jardins, de

---

1. La fontaine de Latone, comme la plupart des fontaines de Versailles, est inspirée de la mythologie. Latone, mère de Diane et d'Apollon, est exilée sur terre. Des paysans qui lui refusent leur aide sont mués en crapauds.

ses bosquets, de ses fontaines qu'il avait pris tant de soin à imaginer avec Le Nôtre. Quel plaisir de les faire découvrir à ce jeune prince dont la fraîcheur et la naïveté le comblaient !

À pas lents, le roi tourna à main gauche, emprunta une rampe et s'engagea dans un jardin où des centaines d'arbres étaient soigneusement alignés dans des vases de terre ou des caisses en bois.

— L'orangerie ! dit le roi.

Aniaba marqua là encore sa stupéfaction. Il y avait là une forêt d'orangers, de citronniers, dont il reconnut les fruits. Mais pourquoi donc les planter dans des pots ? Était-ce un caprice royal ? Il n'osa point poser la question.

Adélaïde aussi était éblouie.

Le groupe quitta l'orangerie par la rampe gauche, s'engagea dans le parterre du Midi et s'avança dans l'allée. Le roi s'arrêtait de temps à autre pour faire admirer les sphinx, Bacchus, Saturne, des fontaines gazouillantes, des statues d'enfants. Aniaba avait l'impression que les richesses de ce jardin étaient inépuisables. Et le roi s'amusait de son émerveillement.

Devant le bassin d'Apollon, Aniaba resta comme paralysé. Ce char d'or, tiré par quatre chevaux, jaillissant des eaux sous la pluie d'un jet montant haut dans le ciel, le laissa bouche bée.

— Tant de beauté... de grandeur... tous ces arbres taillés de magistrale manière, ces statues aux formes si parfaites, ces fontaines... commença-t-il, peinant à trouver les mots pour exprimer son admiration.

— Devant vous, le Grand Canal ! lança le roi, heureux d'offrir un nouveau sujet d'étonnement.

Aniaba mit ses mains au dessus des yeux pour admirer l'étendue d'eau que le soleil faisait miroiter. Des navires étaient amarrés à un ponton. Ainsi, le roi de France avait réussi le prodige de se faire construire une petite mer pour se distraire. Cela dépassait l'entendement.

Soudain, fatigué peut-être, le roi s'adressa au prince d'Assinie :

— Nous vous attendons à cinq heures dans notre cabinet du conseil.

Le jeune homme s'inclina, Adélaïde fit sa révérence.

# 11

Après une demi-heure d'entretien avec le roi, Aniaba sortit du château la tête bourdonnante et les jambes flageolantes. Il lui en avait fallu de l'attention pour ne point commettre de fautes devant le monarque : saisir toutes les subtilités de la langue française, parler à bon escient, ne point s'enthousiasmer trop, ne pas non plus marquer sa déception de n'avoir pas été reçu plus tôt, ne pas critiquer le sieur d'Amon, vanter l'Assinie et ses richesses. Il était épuisé mais heureux.

Dans la Cour Royale, il chercha Mme de La Ferté et Adélaïde parmi la foule toujours aussi nombreuse. Il pensa qu'elles étaient peut-être du côté des jardins afin de profiter du cadre bucolique et du calme. Il les aperçut, en effet, dans le parterre du Nord et accéléra le pas tant il avait hâte de leur conter son entretien avec le roi.

— Alors ? l'interrogea Mme de La Ferté.

— Ah, madame, j'ai traversé une galerie dont les murs garnis de miroirs renvoyaient la lumière des torchères à l'infini... Elle était si vaste, si longue que...

— Que vous a dit le roi ? coupa Mme de La Ferté.

— Sa Majesté a été particulièrement émue lorsque je lui ai appris que lors de ma visite à Notre Dame, j'avais été touché par la grandeur du dieu chrétien. Le roi m'a immédiatement proposé de me faire instruire dans la religion catholique par M. Bossuet[1].

— Par Bossuet ? Êtes-vous certain ? Il serait fort étonnant que Sa Majesté mette à votre service ce grand prédicateur qui a été le précepteur de Monseigneur le Dauphin.

— C'est le nom qu'il a prononcé. Le roi m'a même promis d'être mon parrain de baptême. J'avoue en avoir été bouleversé.

— Votre fortune est faite, mon ami et vous allez faire des envieux !

— Je n'oublie pas que c'est à vous et à Adélaïde que je dois d'avoir enfin repris ma place de prince d'Assinie.

---

1. Jacques-Bénigne Bossuet (1627-1704), évêque de Meaux en 1681. Il est célèbre pour ses sermons.

En disant cela, il s'inclina devant Adélaïde.

— Je suis heureux pour vous... prince, murmura la jeune fille du bout des lèvres.

Adélaïde ne pouvait se départir d'un sentiment d'échec. Certes, Aniaba allait être reçu à la Cour, mais on oubliait que son but à elle était d'obtenir du roi le retour de Gabriel. Qui se souciait de Gabriel ? Sa tante et Aniaba ne semblaient plus concernés par le sort du jeune homme. Le moment ne semblait pourtant pas opportun pour le leur rappeler, mais son cœur se serra.

Quelques mois plus tard, Aniaba était baptisé par l'évêque de Meaux dans la chapelle du séminaire des Missions étrangères[1]. On lui donna le nom de Louis Jean Aniaba.

Mme de La Ferté, son époux, Adélaïde et de nombreuses personnes de qualité assistèrent à la cérémonie. Chacun voulait montrer par sa présence son intérêt pour la christianisation des peuples du monde, à laquelle Louis XIV était très attaché. Et puis le baptême d'un prince africain sur le sol de France était tout de même un spectacle à ne point manquer.

Le roi, hélas, ne se déplaça pas. Il se fit représenter par M. Jean-Baptiste de Lagny, intendant

---

1. Fondé en 1663, rue du Bac à Paris. Il avait pour mission l'évangélisation dans le monde.

général du commerce et conseiller secrétaire du roi. Son épouse fut la marraine.

Mme de La Ferté avait été marrie qu'on ne lui ait pas proposé de tenir ce rôle. Il lui revenait de droit, puisqu'elle avait œuvré pour tirer Aniaba de l'anonymat. Elle aurait cédé cette place à Adélaïde et aurait assuré ainsi un premier lien entre les deux jeunes gens.

Elle avait espéré que la demande viendrait d'Aniaba, mais depuis qu'il était sous la coupe de M. Bossuet, il n'était point revenu dans sa demeure. Était-ce parce qu'il n'avait point l'autorisation de quitter les bâtiments des Missions étrangères ou parce qu'il voulait effacer de sa mémoire tous ceux qui savaient qu'il avait été le commis du sieur Hyon ? À moins qu'il ne refusât de rencontrer Adélaïde qui lui rappelait le duel maudit.

Adélaïde, elle aussi, avait souffert de ne point revoir Aniaba. Il était le lien qui la rattachait encore à Gabriel. Elle aurait voulu parler de son fiancé avec lui, en apprendre un peu plus sur sa vie.

Depuis six mois maintenant, elle dépérissait. Tous les soirs, avant de s'endormir, elle ouvrait le coffret contenant le collier de perles offert par Gabriel et le caressait du bout du doigt. C'était la seule chose qu'elle possédait de lui. Mais ce geste, loin de la réconforter, lui arrachait des larmes.

Elle n'avait toujours aucune nouvelle de Gabriel. Rien. Pas le moindre message. Parfois une peur abominable s'emparait d'elle, lui coupant l'appétit et perturbant son sommeil : s'il n'écrivait pas, c'est qu'il était mort !

Mme de La Ferté la consolait mais ne la contredisait point, au contraire elle lui assurait :

— Oubliez Gabriel, ma chère enfant. Il se peut qu'il ne revienne jamais... Pour l'heure, vous avez tout ce qu'il faut pour plaire et j'assurerai votre dot... Mais si vous attendez trop, votre beauté flétrira et seul un veuf vieux, borgne et boiteux voudra de vous. Alors ouvrez les yeux ! Regardez autour de vous ! Il ne manque pas de beaux partis !

Adélaïde ne répondait même plus comme au début : « J'aime Gabriel », car cela irritait sa tante. Elle baissait la tête en soupirant.

— Que pensez-vous d'Aniaba ? s'enquit un jour Mme de La Ferté.

— Il est charmant.

— Certes. Mais il est surtout prince, et catholique. Sa Majesté lui fait donner une instruction digne de son rang. J'ai ouï dire qu'il allait bientôt être admis comme officier dans le régiment du roi.

— Eh bien, je...

Adélaïde voyait parfaitement où voulait en venir sa tante. (Plusieurs fois déjà, elle avait fait des allusions plus ou moins discrètes à son union avec le jeune prince.) Mais il lui était impossible d'accepter ce mariage parce que son cœur était ailleurs. En tout cas, elle ne voulait pas encore l'envisager. Peut-être si on lui fournissait la preuve que Gabriel ne reviendrait jamais, elle consentirait à épouser Aniaba pour satisfaire l'orgueil de sa tante, ses parents et ne pas demeurer fille... peut-être...

Mais devant son peu d'empressement, sa tante insista :

— Songez à ma proposition. Bientôt, dix familles vont présenter leur fille au prince ! Des familles avec des noms prestigieux, ou dont les demoiselles auront des dots importantes... Il m'a semblé que le prince n'était pas insensible à vos appâts... Et si, sous peu, il fait sa demande... que devrai-je lui répondre ?

Adélaïde resta muette. Sa tante reprit :

— Un refus le décevrait. Il en informerait le roi, qui serait sans doute fâché de vous voir refuser un prince dont il est le parrain... Et déplaire au roi est fort préjudiciable.

Adélaïde réfléchit. En fait, elle avait deux solutions : elle restait fidèle à Gabriel sans savoir si elle le reverrait un jour et sans pouvoir agir pour son retour ; elle épousait le protégé du roi et par là même pouvait œuvrer auprès du monarque pour obtenir sa clémence et faire revenir Gabriel s'il était vivant... Si elle apprenait son décès, elle serait avantageusement établie pour le plus grand soulagement de sa famille.

Alors, le cœur déchiré, elle souffla :

— J'accepte.

— Ah, voilà qui est raisonnable ! Je suis certaine que vous ne regretterez pas votre décision !

Adélaïde aurait bien voulu avoir la même certitude.

Quelques jours avant la cérémonie, d'Amon s'était présenté aux Missions étrangères et, apercevant Aniaba, s'était écrié avec une joie feinte :

— Ah, prince, je suis ravi de voir que le sieur Hyon a rempli son office en vous apprenant le français et les us et coutumes de chez nous, comme nous en étions convenus.

— Monsieur... avait répliqué Aniaba, prêt à tourner le dos à cet homme qui l'avait abandonné sur le sol de France.

Mais d'Amon ne lui en avait pas laissé le temps et avait enchaîné :

— J'ai parlé de votre peuple et de votre situation à Sa Majesté. Il accepte de vous aider à reconquérir la souveraineté du royaume d'Assinie au nom des Étiolé. Nous vous fournirons des hommes et de l'argent. En échange, nous scellerons une alliance entre la France, la Compagnie de Guinée et le peuple de la lagune nous permettant d'exploiter l'or de votre pays.

Aniaba se vit contraint de remercier. Pourtant, il n'avait plus aucune confiance en d'Amon et il trouvait étrange qu'il surgisse dans sa vie, au moment où il n'en avait plus besoin.

— Sa Majesté souhaite que vous poursuiviez votre instruction dans les armes et vous admet comme officier dans son régiment.

— C'est un insigne honneur, avait balbutié Aniaba.

En ce grand jour, alors qu'il allait quitter la chapelle, d'Amon était venu à lui, lui avait donné l'accolade comme s'ils avaient été les meilleurs amis du monde et disait à qui voulait l'entendre :

— C'est moi qui ai persuadé le prince de venir en France pour se faire chrétien.

Et chacun s'exclamait sur cette belle action.

D'Amon se pavanait, allant et venant vers des dames, des gentilshommes, et toujours répétant la même phrase.

Louis Aniaba le laissa dire, incapable de rabrouer ce personnage vaniteux. Après tout, c'était effectivement grâce à lui s'il était en France.

Il aurait aimé que Banga partage avec lui ce bonheur. Mais son ami avait disparu, happé par Paris. Peut-être lirait-il, dans *La Gazette* ou *Le Mercure*, le récit de son baptême et se manifesterait-il ? Alors, il lui tendrait la main comme s'il avait retrouvé un frère. Il pensa aussi à Bama-Li... Dans quelle famille servait-elle ? Que devenait-elle ? Sa qualité de prince catholique faciliterait certainement ses recherches et acheter la liberté de la jeune esclave ne serait qu'une formalité. Bientôt, il la retrouverait.

Tout à coup, dans la foule qui se pressait pour le féliciter, il aperçut Adélaïde et Mme de La Ferté. Il se blâma de ne pas leur avoir donné de nouvelles depuis plusieurs mois, mais il avait été si occupé ! Il y avait tant de choses à étudier et il avait tant de retard ! Il voulait que ses professeurs soient satisfaits de lui dans toutes les matières.

— Ah, madame, quel plaisir de vous revoir ! s'exclama-t-il en s'inclinant devant Mme de La Ferté.

— Vous nous avez manqué, susurra-t-elle.

— Je vous prie de bien vouloir m'excuser de n'être pas venu vous saluer, mais les études ont accaparé tout mon temps.

Mme de La Ferté nota que le jeune homme s'exprimait dans une langue recherchée et avait presque perdu son accent. C'était un avantage indéniable pour devenir l'époux de sa nièce.

— Vous êtes pardonné, mais il ne faudra plus nous abandonner si longtemps. Adélaïde a besoin d'amis pour la distraire de sa solitude.

Adélaïde lança un regard noir de réprobation à sa tante. Aniaba ne le vit pas, car il s'inclinait à cet instant devant elle et lui dit :

— Ah, mademoiselle, si je peux faire quelque chose pour atténuer votre douleur, croyez bien que...

Mme de La Ferté, contente de sa tentative de rapprochement, allait proposer une invitation au jeune homme lorsque son époux la saisit par le bras en lui disant :

— Venez, ma chère, M. Bossuet souhaiterait vous présenter ses civilités.

— Je vous laisse un instant avec Adélaïde, minauda-t-elle en suivant son époux.

Dès que sa tante eut disparu dans la foule, Adélaïde demanda :

— Avez-vous pu parler au roi de... de la situation de Gabriel ?

— Non. À dire vrai, je n'ai pas revu le roi. Je... je ne vois que mes professeurs, des livres et des épées pour apprendre à me battre.

— Ah, dommage... enfin, je voulais dire, tant mieux pour vous... mais je suis en peine de ne pas savoir ce qu'il advient de Gabriel.

— Je vous promets, demoiselle, dès que je le peux, j'entretiens le roi à ce sujet.

— Je vous en remercie.

Mme de La Ferté revint, souriante, et lança à sa nièce :

— Ah, je suis heureuse de voir que vous vous entendez bien.

— Mais, parfaitement, répondit Aniaba sans se douter le moins du monde des projets de Mme de La Ferté.

— Je voudrais bien... se rejeta à dire que je le

je... coupai, je n'en croyais

Je voulais rentrer.

— Je ne... la fenêtre, réplac... en fin, m'arrêta...

continua...

— Alors... il Angélique se dégourdha, qui vous

attendez point...

— J'étais... l'Homme... vous... je me suis assise...

bonheur... l'avenir était... tes pripiètes... qui leur

t'avait...

# 12

Une année passa.

Afin de distraire sa nièce de ses soucis, Mme de La Ferté l'avait entraînée dans tous les divertissements donnés par le roi à Versailles, et comme, le monarque prenant de l'âge, ils étaient devenus plus rares, elles avaient participé aux fêtes données par Monsieur[1] à Saint-Cloud, par le Dauphin et son épouse au château de Meudon, et par le duc du Maine, nouveau propriétaire du domaine de Sceaux.

Adélaïde se laissait étourdir par les bals, les comédies, les promenades en gondole sur les canaux. Elle avait même appris à jouer à la bassette[2] ! Sa

1. On appelait « Monsieur » Philippe, le frère de Louis XIV.
2. Jeu de cartes.

jeunesse, sa beauté, la gravité et le mystère dont était empreint son visage lui attiraient les compliments de nombreux gentilshommes. Elle gardait toujours une attitude froide mais polie, ce qui faisait dire à ces messieurs :

— Adélaïde de Pélissier est plus difficile à prendre qu'une citadelle de M. Vauban. Celui qui fera tomber ses fortifications sera un fameux guerrier !

Sa tante était persuadée que sa nièce allait finir par oublier Gabriel afin d'accepter un autre parti. Elle ne prononçait d'ailleurs plus jamais son nom et agissait comme si Adélaïde n'avait eu aucun prétendant.

Louis Aniaba s'habituait fort bien à sa nouvelle vie. Il ne s'étonnait plus de la grandeur du château de Versailles, de la hauteur des fenêtres, du nombre de miroirs de la Grande Galerie, de l'eau jaillissant si haut des fontaines, des sculptures de pierre, de marbre ou de bronze plus vraies que nature, des tableaux et des tapisseries ornant les murs. Comme les autres courtisans, il passait devant toutes ces merveilles sans les voir. Il connaissait tous les jeux se pratiquant à la Cour. Il excellait au lansquenet, perdait beaucoup d'argent sans sourciller, et lorsqu'il en gagnait, il lançait généreusement quelques pièces aux garçons qui travaillaient aux tables de jeu, ce qui le faisait apprécier. Il avait appris aussi le billard, le jeu préféré de Sa Majesté, et il savait perdre avec élégance pour laisser au roi la joie de la victoire. Il était excellent cavalier et adroit au fusil, aussi le roi aimait-il à le convier pour la chasse. Il avait l'allure fière et portait à merveille le costume, la perruque, les dentelles et les bijoux. Il dansait avec grâce et les dames de la Cour ne dédaignaient pas son bras.

En quelques mois, le prince Louis Aniaba était devenu la fougade[1] de la Cour. Chacun voulait le recevoir dans sa demeure.

Il profitait largement de ces faveurs. C'était, après tout, la simple reconnaissance de son rang. D'ailleurs Sa Majesté ne lui avait-elle point dit, un soir d'appartement, alors qu'ils terminaient une partie de billard :

— Prince Louis Aniaba, il n'y a pas plus de différence entre vous et moi que du noir et du blanc[2] !

Les courtisans avaient applaudi à ce bon mot et Louis Aniaba s'était incliné, un souris de fierté éclairant son visage.

Être l'égal du plus grand roi de la Terre, jamais il n'avait rêvé pareille ascension !

---

1. Foucade, engouement.
2. Il semblerait que Louis XIV ait vraiment prononcé cette phrase.

Emporté dans un véritable tourbillon de divertissements, il ne trouvait pas une minute pour partir à la recherche de Banga et de Bama-Li comme il se l'était promis. Tous les soirs en se couchant, il se jurait de s'en occuper, mais au matin, d'autres projets l'accaparaient. Et puis, dans son for intérieur, peut-être n'avait-il point envie de se souvenir de son passé... Banga lui rappelait par trop qu'il avait juré de retourner en Assinie pour reprendre le pouvoir et venger son peuple. Pour l'heure, cela ne faisait plus partie de ses projets. Être prince d'Assinie à la Cour de Louis XIV suffisait à le combler. Quant à Bama-Li... elle lui rappelait que les Européens qu'il admirait tant transformaient les nègres en esclaves, qu'elle en était une et que, même si son cœur s'était enflammé pour elle, elle n'était plus de son rang. Il avait également promis à Adélaïde d'intervenir en faveur de Gabriel, mais il craignait de perdre sa place de favori auprès de Sa Majesté en ravivant le souvenir de ce sinistre duel. Plus tard, sans doute...

Adélaïde avait plusieurs fois croisé Louis Aniaba lors de divertissements.

Il était maintenant capitaine dans un régiment de cavalerie qui s'était brillamment comporté lors de campagnes militaires. Le roi avait félicité le jeune capitaine et s'était montré généreux. Il lui avait octroyé une pension de douze mille livres par an.

Le prince louait d'ailleurs un hôtel particulier à quelques pas du château de Versailles et avait un train de vie des plus confortables.

Louis Aniaba, qui avait vitement appris comment se faire des amis à la Cour et comment éviter d'avoir des ennemis, se montrait prévenant avec Mme de La Ferté et sa nièce. Il n'oubliait jamais de réserver plusieurs danses à Adélaïde, lui proposant de l'accompagner vers la table où étaient installés les rafraîchissements ou lui faisant un brin de conversation lorsque sa tante était accaparée par d'autres personnes.

En fait, Mme de La Ferté faisait exprès de s'éloigner lorsque le prince était avec sa nièce. Elle espérait toujours que la jeune fille allait succomber au charme de Louis Aniaba et ne manquait pas une occasion de titiller son amour-propre :

— Mlle de Coupigny dévore littéralement des yeux notre prince ! Il faut dire qu'il a fière allure !

— Ce n'est point « notre » prince, se défendait Adélaïde.

— N'empêche... toutes les demoiselles rêvent qu'il leur fasse la cour ! Mais sincèrement, je pense que vous êtes la mieux placée !

Adélaïde ne s'offusquait plus des réflexions de sa tante. Elle avait changé. En perdant l'homme qu'elle aimait, elle avait perdu son rêve de bonheur. Certes, elle s'était tout d'abord dit qu'elle allait attendre Gabriel le temps qu'il faudrait, des années sans doute. Combien ? Dix peut-être. Le roi ne pardonnait pas facilement. Dans dix ans... comment serait-elle ? Gabriel voudrait-il encore d'elle ? N'aurait-il pas épousé une dame portugaise ?

Sa tante l'avait guidée dans son cheminement.

La veille, Adélaïde avait reçu une lettre de Marie-Cécile lui annonçant qu'elle avait passé brillamment toutes les étapes de la fabrication de la dentelle et qu'elle était à présent maîtresse dentellière. Son père allait donc la placer au couvent des bénédictines. Elle affirmait que l'enfermement ne lui pèserait point trop puisqu'elle s'adonnerait à son art et qu'elle le transmettrait à des enfants.

Pourtant, Adélaïde crut lire entre les lignes que, contrairement à ce qu'elle prétendait, sa sœur appréhendait la vie monastique. Elle imaginait mal Marie-Cécile qui aimait tant courir dans les champs ou danser aux fêtes du village, passer toutes ses journées assise à faire de la dentelle et rester immobile encore pour la messe, la méditation et la prière. Il fallait qu'elle puisse compenser les heures de dentelle par des heures de promenade à l'air libre, sinon elle allait devenir folle !

Et pour cela, elle devait diriger son propre bureau de point ! Après avoir donné leurs ouvrages et les consignes aux vélineuses, elle se dégourdirait les jambes en allant livrer les dentelles, acheter du fil ou même, parfois, en se promenant simplement pour le plaisir de n'être point assise.

Mais comment aider Marie-Cécile ? Elle n'avait aucun bien personnel, et sa tante assurant déjà entièrement son entretien, elle n'eut pas le courage de la solliciter pour l'établissement de sa sœur.

Soudain, elle eut une idée.

Elle devait vendre le collier de Gabriel.

Elle saisit le coffret posé sur sa table de toilette, l'ouvrit et caressa les perles du bout des doigts. Un poignard lui laboura le cœur. Ce collier lui était une souffrance chaque fois qu'elle le contemplait. Elle devait tourner la page sur cet épisode de sa vie et se séparer de ce souvenir. Elle répéta à mi-voix : « Gabriel ne reviendra pas. Gabriel ne reviendra pas ».

Certes, la vente du collier ne permettrait sans doute pas d'acheter une presse à reproduire les patrons, outil indispensable si on souhaitait ne pas dépendre des autres et garder le secret sur ses meilleures pièces... Et les premières années, un atelier n'est pas rentable : il faut former les apprentis, les nourrir, les payer.

Au fur et à mesure qu'Adélaïde progressait dans sa réflexion, une autre idée s'infiltrait peu à peu dans son esprit. Le bonheur l'avait fui en lui ôtant

Gabriel, mais elle pouvait faire le bonheur de Marie-Cécile. Bientôt sa sœur animerait un atelier de dentelle et cette dentelle serait si belle et si prisée par les dames de la Cour qu'elle rendrait richesse et honneur à sa famille. Pour cela, elle allait accepter d'épouser le prince Louis Aniaba et, au lieu de dépenser son argent en robes, bijoux et fariboles, elle s'associerait à sa sœur pour que la dentelle des ateliers Pélissier soit la plus belle du royaume.

Elle descendit au salon où sa tante lisait, assise dans un fauteuil, dos à la cheminée.

— Pourriez-vous vendre ce collier, je vous prie. Je voudrais aider Marie-Cécile à fonder un atelier de point, annonça-t-elle.

Sa tante leva les yeux de son recueil de poésies.

— Je suis heureuse de voir que vous êtes sur le chemin de la guérison. Il ne sert à rien de garder le souvenir d'un... d'un gentilhomme qui ne se soucie plus de vous.

— Vous avez raison, ma tante.

Mme de La Ferté posa son livre sur la table, se leva, et saisissant les deux mains de sa nièce, elle lui dit :

— Le prince Aniaba fera un bon époux. Il est capitaine, il a une pension confortable et le roi l'apprécie. De votre côté, votre beauté sera à la Cour un atout qu'il ne peut négliger. De plus, vous vous entendez bien. Voulez-vous que j'amorce une discussion avec lui à ce sujet ?

— Oui, s'il vous plaît, ma tante.

Adélaïde lui accorda un timide souris. Sa décision avait été longue à prendre, à présent ce n'était pas le moment de fléchir.

CHAPITRE

# 13

Un après-dîner, alors que Louis Aniaba s'apprêtait pour se rendre à Marly rejoindre les quelques privilégiés que le roi y avait conviés, son majordome vint lui annoncer qu'un certain Banga demandait à être reçu.

— Banga ? s'étonna le prince.

Il congédia la domestique qui poudrait sa perruque et ajouta :

— Faites-le entrer.

Intimidé, le jeune Africain s'avança dans la pièce où tapisseries, tentures, chandeliers d'argent, lit entouré d'une lourde courtine, fauteuils recouverts de velours épais affichaient la réussite d'Aniaba. Il s'arrêta à quelques pas de son ami, hésita sur la contenance à prendre. Mais en trois enjambées,

Aniaba le rejoignit et ils échangèrent une franche accolade.

— Mais où donc étais-tu passé ? le gronda gentiment Louis Aniaba.

— Oh, pas très loin... dans Paris... J'ai suivi ton... ton ascension. *La Gazette* s'en est fait l'écho.

— Nous aurions partagé tout cela si tu étais resté avec moi.

Banga fit un geste de la main qui signifiait : « Qu'importe. »

— Maintenant que je t'ai retrouvé, je ne te quitte plus. Tu vas t'installer ici. La maison est vaste. Je te présenterai au roi et je suis certain que...

— Inutile, je retourne en Assinie !

— Tu pars ? Mais pourquoi ? Si c'est parce que la vie est trop difficile pour toi sur le sol de France, tes ennuis sont terminés. Ma pension me permet largement de subvenir à tes besoins.

— Je te remercie, mais je pars.

— Nous étions pourtant si heureux de pouvoir découvrir la France !

— L'Assinie est mon pays. C'est là que je veux vivre.

Banga planta son regard dans les yeux de son ami et ajouta :

— Et toi, as-tu oublié la mission que tu t'étais fixée ? Ne comptes-tu pas revenir en Assinie avec des soldats du roi de France pour venger les Étiolé et reprendre le pouvoir ?

Aniaba se troubla sous le regard de Banga et bredouilla :

— Certes... mais le moment n'est pas encore venu.

Banga soupira :

— Viendra-t-il un jour ?

Puis désignant la pièce d'un geste, il poursuivit :

— Dans le luxe, les hommes s'amollissent et toi, tu as oublié les lois de nos ancêtres pour adopter celles d'un pays étranger. *Aiguioumé* risque de se venger... songes-y mon frère.

— *Aiguioumé* n'existe pas, lâcha Aniaba, les lèvres pincées.

Les yeux de Banga s'agrandirent d'horreur.

— Les Blancs t'ont corrompu. Tu es perdu.

Agacé par ce discours, Aniaba lança :

— Balivernes !

Banga secoua la tête d'un air contrit et poursuivit :

— Je suis venu te dire au revoir. As-tu un message pour... pour les tiens...

Pris au dépourvu, Aniaba laissa tomber :

— Je... je les salue.

Puis il ajouta :

— Un peintre renommé de la Cour vient de terminer mon portrait. J'en ai fait exécuter une miniature, je te la donne. Ainsi, tu pourras montrer à Chiki ce qu'il est advenu de son fils adoptif.

Il sonna un domestique afin qu'on lui apporte le tableau. On y voyait le prince Louis Aniaba dans un habit de soie rouge bordé d'or, la chemise de batiste fine ornée de dentelle, les boucles de sa perruque descendant sur les épaules et la tête coiffée d'un large chapeau à plumes. Banga examina le tableau :

— Tu as bien changé, Aniaba. Tu as renié ta race, ta religion, ton pays, et tu renonces à tes rêves, aussi !

Aniaba contint la colère qui montait en lui et garda le silence.

Mais Banga n'en avait pas fini. Il avait trop souffert, lui, à vivoter dans les rues de Paris quand celui qui se disait son ami vivait confortablement. Chaque soir, lorsqu'il s'endormait sous une porte cochère, priant sa fétiche que la police du roi ne le prenne pas pour l'envoyer aux galères, il avait espéré qu'Aniaba le ferait rechercher, mais rien... S'il ne s'était pas présenté à l'hôtel du prince d'Assinie dont tout Paris connaissait l'adresse, ils ne se seraient jamais revus.

— As-tu essayé de retrouver Bama-Li dont tu étais si épris et qui doit attendre ta venue pour se sortir de l'esclavage ?

Le visage d'Aniaba se crispa. Décidément, Banga était venu pour le mettre devant ses contradictions.

— Je n'en ai pas eu le temps, mais je vais le faire tantôt, répliqua-t-il.

— Ah, le temps ! Il n'a pas la même valeur pour tous... il passe plus vite pour les nantis que pour les pauvres... j'en connais la cruelle morsure. Et tandis que tu te pavanes à la Cour, que tu te promènes à cheval, que tu vas à la comédie et au bal, Bama-Li travaille dix-huit heures par jour ! Elle doit trouver le temps long en espérant ta venue.

Excédé par ces reproches, qu'en lui-même il jugeait justifiés, Aniaba rabroua Banga :

— Écoute, Banga, je mène ma vie comme je l'entends et tes critiques m'insupportent. Alors, séparons-nous. Et si Dieu le veut, nous nous reverrons peut-être un jour en Assinie.

Il tendit la main à son ami, qui la refusa et tourna les talons sans ajouter un mot.


Louis Aniaba se laissa tomber dans un fauteuil. En remuant son passé, Banga lui avait labouré l'âme. Il avait besoin de faire le point. Il était bien vrai qu'emporté par le tourbillon de sa nouvelle existence, il avait abandonné ses rêves... N'avait-il pas eu tort ? Il se sentit vide... comme si cette année passée à s'étourdir pour affirmer son rang de prince avait été inutile. Il lui manquait quelque chose. Quelque chose de capital. Il n'arrivait pas à définir avec précision de quoi il s'agissait. Lorsqu'il aurait trouvé, il se sentirait mieux.

Il pensa brusquement à Adélaïde. Elle était tout à fait charmante et ferait sans doute une épouse parfaite, mais il ne se décidait pas à faire sa demande... Dans l'ombre, il y avait Bama-Li et Gabriel... Son amour et son ami. Il eut honte de les avoir oubliés.

Afin de recouvrer un peu de sa fierté, il se promit de parler de Gabriel le jour même au roi.

Il mit son chapeau et sortit. Dans quelques minutes, il serait à Marly.

# 14

Le sieur Hyon consentit à racheter le collier de perles à Mme de La Ferté. Habile et courtois, il fit une excellente affaire.

Adélaïde fut un peu déçue de la somme obtenue. Cet argent serait à peine suffisant pour louer un local, acheter un peu de matériel et payer quatre ou cinq vélineuses pour quelques mois seulement... mais ensuite ?

— Avez-vous pu parler au prince Aniaba de... de nos projets de mariage ? demanda-t-elle à sa tante.

— Que j'ai de mal à vous comprendre, mon enfant ! Il y a quelques semaines encore, envisager cette solution vous fâchait, et à présent, vous me pressez d'intervenir !

— Je vous l'ai dit, vos arguments m'ont convaincue,

mais je voudrais savoir vitement si le prince accepte notre offre.

— Pourquoi la refuserait-il ? Entrer dans une famille française de qualité est la dernière étape pour qu'il soit parfaitement intégré dans notre société, et de plus, je suis certaine qu'il a des sentiments pour vous.

Adélaïde esquissa un souris. Les sentiments d'Aniaba à son égard lui importaient peu. Elle l'épousait pour faire le bonheur de Marie-Cécile. Le sien viendrait de savoir qu'elle avait contribué à ce bonheur. Son cœur était mort dans la fuite de Gabriel, mais elle espérait que les plaisirs et les distractions de la Cour suffiraient à combler son existence.

— Nous allons faire parvenir l'argent du collier à votre sœur, accompagné d'une lettre pour exhorter votre père à donner son consentement afin que Marie-Cécile monte son atelier.

Quelques semaines plus tard, un courrier leur parvenait de Séez. Marie-Cécile remerciait sa sœur avec des mots touchants. Grâce à cet argent et aux conseils de Mme de La Ferté, son père avait consenti que, sous son autorité, elle ouvre un bureau de point dans l'une des anciennes écuries qui, n'hébergeant plus de chevaux depuis longtemps, serait transformée en un atelier clair et spacieux. Certes, elle commencerait petitement son activité, mais en travaillant beaucoup, elle parviendrait à dégager quelques bénéfices, avec lesquels elle engagerait de nouvelles dentellières et achèterait une presse.

— Oh, je la connais, se lamenta Adélaïde, elle va s'user la santé encore plus que les autres pour produire sa dentelle... Elle qui rêvait d'un atelier modèle où les ouvrières travailleraient moins, dans de meilleures conditions et avec des plages de récréation pour se dégourdir les jambes...

— C'est le lot des gens du peuple de travailler. Et Marie-Cécile qui n'est ni Crésus ni une sainte ne changera pas ce qui fonctionne si bien depuis des lustres !

Adélaïde hocha la tête. Sa tante ne comprenait rien aux motivations de la gentille et courageuse Marie-Cécile. Mais elle savait, elle, combien ces transformations lui tenaient à cœur.

— Certes, bougonna Adélaïde avant de reprendre : Avez-vous fait votre demande au prince Aniaba ?

— Oui. Je l'ai rencontré hier à Saint-Cloud, au divertissement donné par Monsieur. Vous auriez dû venir, c'était somptueux !

— J'étais fatiguée.

— A-t-on le droit d'être fatiguée lorsqu'on a dix-sept ans ? Ah, si j'avais votre âge, je ne manquerais aucune occasion de m'amuser... le temps passe si vite. On a trente-cinq ans sans s'en apercevoir et l'on sent déjà venir la vieillesse à grands pas...

— Et que vous a-t-il répondu ? coupa Adélaïde peu intéressée par le discours de sa tante sur la fuite du temps.

— Eh bien, il a été... comment dire... interloqué. Oui, c'est le mot.

— Oh, si nous l'avons froissé, il va me refuser... Ce serait une nouvelle honte dont je ne me remettrais pas !

— Mais non, petite sotte, je vous affirme qu'il ne vous refusera pas. D'ailleurs, après ce premier étonnement, il a été très flatté et ému aussi, je crois. « Mlle Adélaïde m'est une amie chère, et mon plus cher désir serait de la rendre heureuse », m'a-t-il dit.

— Ah, c'est une bonne chose, admit Adélaïde.

— Il a sollicité quelques jours de réflexion. « Non point que l'idée d'épouser Mlle votre nièce me rebute, a-t-il ajouté, mais parce que j'ai d'importantes affaires à régler avant de pouvoir me prononcer. »

— Vous pensez donc qu'il va accepter ?

— Mais oui ! Je vous le répète encore. Venez m'embrasser et quittez ce visage chagrin. D'ici quelques mois on vous donnera du « Mme la princesse Adélaïde » !

Cette nuit-là, Adélaïde fit des rêves curieux. Elle était dans une église, agenouillée à côté de Gabriel ;

un prêtre bénissait son union ; ses parents, sa sœur, sa tante lançaient des pétales de rose dans leur direction. Mais à la sortie de l'église, c'est au bras d'Aniaba qu'elle se trouvait. Les cloches, qui sonnaient à toute volée, s'arrêtaient brutalement. Le perron était vide. Plus personne n'était là pour la féliciter.

CHAPITRE

# 15

Aniaba avait été effectivement fort étonné par la demande de Mme de La Ferté. Étonné et honoré. Certes, il avait déjà eu quelques aventures avec des demoiselles de la maison de la Dauphine et même avec une dame de qualité. Toutes frétillaient de goûter à une peau noire, mais là, c'était différent. Il s'agissait d'un mariage. Et la demoiselle qu'on lui destinait n'était pas une de ces sucrées s'offrant au premier venu. Il avait pu apprécier sa sagesse et surtout sa beauté. Adélaïde à son bras l'aiderait dans son ascension sociale. Tous deux deviendraient, à n'en point douter, le couple le plus recherché de Versailles et des demeures princières environnantes.

Il en rêva... puis il abandonna son rêve.

Il avait parfaitement conscience que son titre de prince d'Assinie, et les faveurs que le roi lui accordait, faisait de lui un bon parti et il comprenait le désir de Mme de La Ferté de vouloir établir sa nièce. Mais Adélaïde était-elle favorable à cette union ? N'y était-elle pas contrainte par sa tante ? Il se souvenait parfaitement des regards énamourés que la jeune fille avait échangés avec son promis lorsqu'ils étaient venus choisir les perles chez le sieur Hyon et il se souvenait aussi que son ami Gabriel lui avait confié son bonheur de faire un mariage d'amour... Son ami Gabriel qui s'était battu en duel pour défendre l'honneur d'un nègre... son honneur. Ne l'avait-il pas abandonné à son triste sort ? Il avait pourtant promis de faire tout son possible afin que le roi lui pardonne et le rappelle en France... Il n'avait rien fait. Rien. Trop occupé qu'il était à asseoir sa nouvelle puissance en étant partout où il fallait être vu !

Que faire à présent ?

Épouser Adélaïde pour poursuivre son ascension et trahir Gabriel, ou s'acquitter enfin de sa dette envers lui et parler au roi ? Sans compter qu'en se mariant, il trahissait aussi Bama-Li.

Il revit les yeux implorants de la jeune esclave et il serra les poings.

Peut-être n'était-il pas trop tard pour réparer ses fautes et recouvrer l'estime de lui-même ?

Lorsqu'il arriva à Marly, le roi se préparait pour la chasse.

— Nous accompagnerez-vous, prince ? lui proposa le monarque.

— Avec grand plaisir, Votre Majesté, comme vous, j'aime courir le cerf, répondit habilement Louis Aniaba.

Le roi lui accorda un petit souris de connivence. Depuis quelques années déjà, le roi ne chassait plus à cheval mais dans une voiture légère spécialement aménagée. Et il appréciait que deux ou trois gentilshommes restassent autour de lui au lieu de caracoler loin devant. Louis Aniaba en était. Et lorsque les rabatteurs et les chiens avaient bien fait leur travail et qu'un cerf affolé passait non loin de la voiture, il épaulait son arme, mais laissait au roi le plaisir de tuer l'animal. S'il le manquait, il appuyait sur la détente avec célérité. Les gentilshommes présents feignant de croire que le roi était l'auteur du coup mortel le félicitaient. Cette menterie amusait le roi et le prince.

Ce jour-là, aucun cerf ne voulut bien se faire tuer par Sa Majesté. Déçu, le roi décida d'aller visiter la nouvelle faisanderie qui venait d'être construite face à la ferme des Moulineaux.

Pour une fois, aucune dame n'avait pris place avec le roi dans sa voiture. Le souverain soupira :

— Mme de Maintenon déteste la chasse, ma cousine la duchesse de Montpensier vieillit et la princesse Palatine grossit trop... quant à la jeunesse, elle va chercher ailleurs ses plaisirs...

Il était fort rare que le roi, si maître de lui, étale ainsi ses sentiments. Le moment était peut-être opportun pour lui parler :

— Me permettez-vous, Majesté, de vous distraire un peu en montant dans votre voiture ?

Le roi, qui n'attendait que cela, accepta.

En parfait courtisan, Louis Aniaba commença à remercier le monarque de le coucher régulièrement sur la liste des rares invités à Marly, lui redit son admiration et son désir de le servir le mieux possible, puis il enchaîna en contant quelques anecdotes sur la chasse aux éléphants et aux dragons d'eau en Assinie. Le roi s'en amusa.

— Votre pays est bien différent du nôtre.

— Certes, mais les hommes sont les mêmes. Il y en a des bons et des mauvais, des courageux et des ladres, des beaux et des laids...

Surpris par cette sagesse, Louis le Grand admit :

— C'est ma foi vrai.

— Ainsi, sur le sol de France, l'homme qui a défendu mon honneur a été durement puni et j'en suis inconsolable.

— Comment cela ?

— Il s'agit de Gabriel Ruault de La Bonnerie qui s'est battu en duel et...

— Les duels sont interdits, coupa sèchement le roi.

— Si, à ce moment-là, j'avais porté l'épée comme mon titre de prince m'y autorisait, c'est moi qui aurais pourfendu celui qui a attenté à mon honneur ! Auriez-vous condamné un prince d'Assinie ?

— Monsieur, le roi de France ne saurait être le juge d'un prince étranger, ambassadeur de son pays !

— Gabriel a simplement été mon épée et mon bras. Il n'a point voulu nier la loi et vous offenser... et pourtant, c'est lui qui est puni... et sa promise, Adélaïde de Pélissier, se désespère de l'attendre.

— N'est-ce point cette jeune beauté qui accompagne Mme de La Ferté à nos divertissements ? s'informa le roi soudain intéressé.

— Si fait. Gabriel et Adélaïde s'aiment et devaient se marier le lendemain de cette malheureuse affaire.

— Ce gentilhomme a bien de la chance, soupira le roi, il est jeune, amoureux, il a le sens de l'honneur et ne manque point de vaillance...

— Tout cela n'a plus aucune valeur à ses yeux puisqu'il a déplu à son roi.

— Ah, monsieur, vous savez fort bien plaider la cause de vos amis, et pour vous être agréable, nous verrons ce que nous pouvons faire pour celui qui a défendu votre honneur.

— Sire, votre grandeur et votre magnanimité peuvent tout ! Aussi, je vous supplie d'effacer la faute de M. Ruault de La Bonnerie. Vous ferez ainsi le bonheur de deux êtres qui seront vos plus loyaux sujets... et je pourrai ainsi affirmer à tous les pays qui veulent faire main basse sur l'Assinie que ma préférence est pour le roi de France parce qu'il est le plus grand monarque de la Terre.

Le roi sourit. Ce prince d'Assinie lui plaisait. D'après d'Amon, son pays regorgeait de richesses, d'or surtout. Alors s'il pouvait le satisfaire et asseoir sa domination sur les côtes d'Afrique, ce serait une bonne chose. Il avait besoin de montrer au monde que la France n'était pas une monarchie sur le déclin, mais au contraire que sa puissance s'étendait sur le monde entier.

De longues semaines s'écoulèrent.

Louis Aniaba se montrait toujours à la Cour, mais il n'eut plus l'occasion de parler seul à seul avec le roi et jamais le monarque ne fit la moindre allusion à la conversation qu'ils avaient eue dans la calèche. Louis Aniaba n'osait importuner à nouveau celui à qui il devait tout. Le roi pouvait reprendre ce qu'il lui avait octroyé, le chasser de Versailles, renoncer à construire un fort en Assinie et ruiner tous ses espoirs de monter un jour sur le trône usurpé par les Essouma.

Afin d'éviter une discussion avec Mme de La Ferté, il usait de mille ruses pour l'éviter.

Si, lors des soirées d'appartement, il l'apercevait avec sa nièce en train de grignoter des massepains dans une pièce, il fuyait dans la salle de jeu. Si elles s'apprêtaient à suivre la promenade du roi, il s'abstenait d'y participer. Il s'épuisait à ce manège. C'était pourtant mieux ainsi, car que répondre à Mme de La Ferté sans la fâcher et blesser Adélaïde ? Il ne voulait pas donner de vains espoirs à la jeune fille en lui révélant sa tentative auprès du roi. Il ne voulait pas accepter de l'épouser si Gabriel était gracié, et il ne voulait pas refuser non plus. Si par malheur Gabriel ne revenait pas en France, soit que le roi renonce à la clémence, soit que Gabriel ait péri en chemin, il serait heureux d'adoucir la peine d'Adélaïde en devenant son époux.

Las, il ne tiendrait pas longtemps ! Le hasard allait bien finir par les mettre en présence.

Mme de La Ferté n'y comprenait plus rien.

Pourquoi le prince Louis Aniaba tardait-il tant à lui donner une réponse favorable ? Elle n'envisageait pas une seconde que la réponse fût négative. Pareil affront était impensable !

Plusieurs fois, elle lui avait fait parvenir une invitation pour passer l'après-dîner à converser en buvant une liqueur. Avec courtoisie et différents prétextes, il l'avait toujours déclinée.

Adélaïde n'était plus que l'ombre d'elle-même. Elle était maigre à faire peur, son teint devenait gris et sa chevelure perdait son éclat. Elle s'opiniâtrait[1] toujours à refuser d'accompagner sa tante aux divertissements donnés par les grands de la Cour.

— À quoi bon ? gémissait-elle. Les distractions ne me font pas oublier ma peine et le prince nous fuit. Non seulement le bonheur m'est interdit, mais je ne parviendrai même pas à faire celui de Marie-Cécile.

Depuis quelques semaines, sa tante était à bout d'arguments pour lui redonner espoir.

---

1. S'obstiner.

CHAPITRE

# 16

Un après-dîner, cependant, Louis Aniaba, prince d'Assinie, se fit annoncer. Mme de La Ferté entra dans la chambre de sa nièce et la tança :

— Quittez cette robe de chambre, habillez-vous. Faites-vous coiffer et farder, accrochez un souris à votre face et descendez le plus vite possible dans le salon. Le prince est là.

— Je ne veux point le voir.

— Vous le verrez. Il faut savoir accepter les aléas de la vie. Et s'il ne veut point vous épouser, un autre parti se présentera. Le comte de Miremont, un ami de mon époux, est veuf pour la seconde fois et n'a toujours que des filles, il...

— Je ne veux épouser personne, coupa Adélaïde.

— Cessez vos enfantillages !

Adélaïde haussa les épaules mais se laissa vêtir et coiffer par Lucie sous l'œil vigilant de sa tante, qui exigea qu'on lui ajoute des rubans dans les cheveux et qu'on lui colle une mouche afin de dissimuler un saphir[1] qui avait pointé sur son menton. Puis toutes deux descendirent dans le salon où Louis Aniaba attendait.

Mme de La Ferté, vexée par les hésitations du jeune homme, décida de jouer son va-tout et attaqua :

— Alors, prince, venez-vous donc faire votre demande ?

— Eh bien... non madame, je...

Mme de La Ferté pinça les lèvres de dépit. Adélaïde dont les pommettes avaient été rosies de carmin pâlit et se laissa tomber dans un fauteuil en poussant un soupir désespéré. Louis Aniaba allait se jeter à ses pieds, mais Mme de La Ferté l'arrêta en lançant d'un ton acerbe :

— Alors je vous prie de sortir vitement. L'affliction dans laquelle votre décision nous plonge n'a besoin d'aucun témoin.

— Mais, madame, se défendit le jeune homme, si je ne fais pas ma demande, c'est que j'ai une nouvelle d'importance à vous communiquer.

Il y avait dans sa voix comme de la joie... Adélaïde le sentit, se leva du fauteuil, et faisant face

---

1. Bouton d'acné.

au prince, elle lâcha, tremblante d'espoir et de crainte :

— Quelle nouvelle ?

— Le roi s'est rendu à mes arguments. Il vient de gracier Gabriel. Dans quelques semaines, votre fiancé sera près de vous.

— Ciel ! s'exclama Mme de La Ferté.

Quant à Adélaïde, aucun son ne franchit sa gorge et elle s'écroula sur le sol, privée d'esprit.

Lorsqu'elle revint à elle, Adélaïde était allongée sur le sofa du salon, sa tante lui tapotait la main tandis que Lucie lui passait un flacon de sel sous les narines. Elle les repoussa du bras, se leva d'un bond et leur dit :

— Gabriel va arriver, je dois me préparer !

— Ho, là, remettez-vous doucement... Il ne sera pas là avant plusieurs jours, affirma sa tante.

— Certes, mais ne me faudrait-il pas une nouvelle robe et peut-être un chapeau et des gants et des rubans pour mes cheveux et... Oh, Seigneur, je n'ai plus son collier de perles ! Que va-t-il penser de moi ? Jamais, je n'aurais dû m'en séparer...

— Calmez-vous, Adélaïde. Je suis certaine que Gabriel ne vous en voudra pas.

— Croyez-vous, ma tante ?

— Oui, oui... Pour le reste, je convoque le tailleur et le mercier afin que vous soyez resplendissante pour ces retrouvailles.

Adélaïde se jeta au cou de sa tante et s'écria en riant :

— Je suis si heureuse, si heureuse !

La maison de Mme de La Ferté, assoupie par la détresse d'Adélaïde, se réveilla. La jeune fille recouvra l'appétit et les cuisinières s'affairèrent aux fourneaux pour lui concocter les plats qu'elle aimait.

— Il faut que vous engraissiez pour gagner de la gorge et des hanches afin de plaire à votre promis, l'encourageait sa tante. Pour l'heure, votre bustier n'enserre que des os et votre jupe n'a aucun volume.

Adélaïde mangeait, prenait des bains parfumés pour adoucir sa peau, essayait de nouvelles coiffures, jouait quelques morceaux de musique sur le clavecin, chantait même des airs appris à Saint-Cyr. Pourtant, que le temps lui paraissait long...

Dix, vingt fois par jour, elle se précipitait à la fenêtre, croyant avoir entendu le hennissement d'un cheval, les grincements d'une calèche, ou même des pas sur le gravier de la cour.

Sa tante la raisonnait :

— Inutile de vous ronger ainsi les sangs, il faut compter plus de quinze jours pour revenir du Portugal.

— S'il m'aime, il en mettra huit !

Mme de La Ferté souriait. Quel plaisir de voir la joie de sa nièce !

Elle avait déjà prévenu M. et Mme de Pélissier que le mariage d'Adélaïde avec Gabriel était à nouveau possible et qu'il aurait été cruel de le refuser.

Dix jours plus tard, un cheval pénétra, bride abattue, dans la cour.

Adélaïde, encore en robe de chambre, était assise devant sa table de toilette tandis que Lucie commençait à friser ses cheveux au fer.

— C'est lui ! s'écria la jeune fille en se levant.

Elle ne s'en assura même pas en regardant par la fenêtre. Elle sortit de sa chambre à moitié dévêtue, la chevelure flottant sur ses épaules, pieds nus. Elle croisa sa tante qui, déjà habillée, coiffée et fardée, descendait au salon.

— Attendez ! ordonna cette dernière à sa nièce, vous ne pouvez pas vous présenter ainsi...

— C'est lui ! C'est lui ! répéta Adélaïde sans s'arrêter.

Elle arriva dans le grand vestibule au moment où le majordome ouvrait la porte d'entrée sur un jeune homme enveloppé dans une lourde cape de laine noire, le visage caché par un chapeau de feutre. Il levait la main pour ôter son couvre chef lorsqu'il aperçut Adélaïde courant vers lui. Il jeta son chapeau à terre, ouvrit les bras et la reçut, tremblante, pleurant et riant à la fois contre lui.

— Gabriel, Gabriel ! bredouilla-t-elle.

— Ah, ma mie ! Il y a si longtemps que j'attends cet instant. Dès que j'ai appris que le roi me graciait, j'ai pris un cheval et j'ai cavalé sans faire de halte pour manger et dormir afin de vous revoir plus vite.

Adélaïde quitta les bras de Gabriel, et comme si elle avait besoin de se rassurer pour savourer pleinement son bonheur, elle lui demanda brusquement :

— Voulez-vous... voulez-vous toujours m'épouser ?

— Grand Dieu, quelle question ? Bien sûr, ma mie ! Mon bonheur ne sera complet que lorsque vous serez mienne !

Alors, elle se blottit à nouveau contre lui et, oubliant toute retenue, elle lui tendit ses lèvres.

# CHAPITRE
# 17

$A$niaba eut comme une bouffée d'orgueil et de bonheur mêlés.

Il avait réglé sa dette envers Gabriel et aussi envers Adélaïde qui, la première, avait révélé son existence au souverain. Il était quitte.

Pourtant, il n'était pas heureux. S'il voulait être honnête avec lui-même, il devait bien reconnaître qu'après avoir connu le plaisir de participer à tous les divertissements de la Cour, il commençait à s'y ennuyer. Il s'imaginait mal vivre dans l'ombre du grand Roi.

Un événement imprévu se chargea de bousculer le cours de son destin.

Le navire de la Compagnie de Guinée qui avait reconduit Banga sur les côtes d'Afrique revint, après plusieurs mois de navigation, chargé d'ivoire, d'épices, de civette, de bois précieux mais surtout d'une nouvelle importante : le roi Zéna venait de mourir. Le trône irait à son frère Yamoké, détesté par le peuple. Le moment n'était-il pas favorable pour reprendre le pouvoir ?

Lorsque Louis le quatorzième fut informé, il fit appeler le prince Louis Aniaba :

— Prince, voici l'occasion que vous attendiez. Bientôt, avec l'aide de nos troupes, vous serez roi d'Assinie. Vous en ferez le premier pays catholique de l'Afrique. C'est dans ce but que nous avons béni l'ordre de chevalerie que vous avez fondé sous le nom de « l'ordre de l'Étoile-Notre-Dame ». Ordre illustre institué autrefois par le roi Jean le Bon[1].

Aniaba était fier. L'ordre de chevalerie dont il avait eu l'idée en s'inspirant des leçons d'histoire de France qu'il prisait fort avait été approuvé par le roi, par Mme de Maintenon et par M. Bossuet.

— Chaque nouveau converti de mon royaume aura l'honneur de porter le cordon blanc enserrant une étoile, avait-il expliqué.

— Nous sommes confiants, avait ajouté Sa Majesté. Bientôt votre peuple, qui, jusqu'à présent, vivait dans l'aveuglement, sera sous la protection

1. Jean II de France, dit le Bon (1319-1364), créa l'ordre de l'Étoile pour concurrencer l'ordre de la Jarretière fondé par Édouard III, roi d'Angleterre, qui avait des prétentions au trône de France, car il était le petit-fils de Philippe le Bel.

du seul vrai Dieu et pratiquera la vraie et unique religion catholique.

— Lorsque je serai enfin roi d'Assinie, je n'aurai de cesse de faire de mon royaume une copie du si beau, si grand et si chrétien royaume de France.

Aniaba donna une fête somptueuse avec musique, bal, comédie, nourriture à foison. Toute la Cour s'y précipita, car le roi devait honorer ces divertissements de sa présence. Certains n'étaient pas fâchés de voir partir ce prince africain qui prenait de plus en plus d'importance. Les dames regrettaient le départ de ce beau gentilhomme dont l'exotisme les séduisait.

Mme de La Ferté, sa nièce et Gabriel s'y rendirent. Aniaba les accueillit chaleureusement :

— Ah, demoiselle Adélaïde, je suis bien aise de redécouvrir votre souris ; quant à vous, mon ami, je suis heureux de vous revoir.

— C'est moi qui suis votre obligé. Sans votre intervention, je serais encore au Portugal au bord du désespoir !

— Alors nous sommes quittes. Vous avez défendu mon honneur, je vous rends la liberté et votre promise.

— C'est la pensée de retrouver un jour Adélaïde qui m'a empêché de sombrer dans la folie pendant ces longs mois d'errance.

— Elle a eu beaucoup de mérite à vous avoir attendu sans savoir si vous étiez mort ou vivant, intervint Mme de La Ferté.

— J'ai écrit presque tous les jours, se défendit Gabriel, mais j'ai appris que la police avait reçu l'ordre d'intercepter le courrier venant d'un renégat.

— Nous nous marierons sous peu, reprit Adélaïde accrochée au bras de Gabriel, voulez-vous être notre témoin ?

— Ce serait avec joie, mais l'Assinie a besoin d'un nouveau roi chrétien et je me dois de partir sans tarder pour accomplir cette mission. Un navire s'apprête à appareiller de La Rochelle.

— Je comprends. Nous vous souhaitons bonne fortune. Soyez assuré que nous ne vous oublierons pas.

— Je ne vous oublierai pas non plus et je vous souhaite beaucoup de bonheur.

Le prince fut ensuite happé par des dames, des gentilshommes, des ecclésiastiques venus lui faire leurs adieux.

Quelques jours plus tard, Louis Aniaba quittait Versailles. Plus de quarante voitures à chevaux furent nécessaires pour transporter ses biens : meubles, tableaux, tapisseries, candélabres d'argent, statues qui seraient installés dans le palais qu'il projetait de construire aussitôt après son couronnement. Plusieurs de ses domestiques l'accompagnaient, attirés par la découverte de ce pays magnifique qui ne connaissait point les froidures de l'hiver, les maladies, et où l'or coulait à flots.

En arrivant à La Rochelle, Aniaba eut comme un étourdissement.

Les odeurs du port, le vent marin, le craquement sourd des coques des navires, le grincement des cordages... des souvenirs qu'il croyait à jamais enfouis lui revinrent en mémoire.

— Bama-Li, murmura-t-il.

Il eut soudain une furieuse envie de la revoir.

À Versailles, il avait tenu dans ses bras les plus jolies demoiselles de la Cour, mais jamais, jamais aucun sentiment ne l'avait fait vibrer. Il en comprenait ce jour d'hui la raison : son cœur était tout entier occupé par Bama-Li, mais il avait refusé de l'admettre. Il voulait à tout prix être accepté par cette Cour luxueuse et brillante et il n'y avait point de place pour une esclave.

À présent qu'il allait être roi d'Assinie, c'était lui qui décidait.

Il descendit dans l'auberge la plus réputée de la ville et fit appeler Leroux, son premier valet. Il avait longuement hésité. Il ne voulait pas perdre de son prestige en révélant à ce domestique qu'il était amoureux d'une esclave. Puis se souvenant que

Louis le Grand avait eu comme maîtresses quelques demoiselles de compagnie et même une ou deux servantes particulièrement accortes, il se résolut à lui expliquer la situation de cette manière :

— Je suis arrivé en France avec une demoiselle de mon pays, à laquelle je suis très attaché. Mais par un revers de fortune qu'il serait trop long d'expliquer, elle a été obligée de se placer comme domestique auprès du sieur Lanoie.

— Et vous souhaiteriez que je la retrouve ! termina Leroux.

Cet homme était précieux. Il était discret, efficace et devinait tout à demi-mot.


L'attente commença.

Certes, Aniaba aurait pu aller lui-même par les rues de La Rochelle s'enquérir de l'endroit où était située la demeure du sieur Lanoie... Mais il jugeait que ce n'était plus la place d'un futur roi.

Que de chemin parcouru depuis qu'il avait quitté l'Assinie ! Il était parti nu, sans instruction, adorant un dieu de pacotille, et il revenait en étant l'égal du roi de France ! Bientôt, il en était certain, l'Assinie serait un pays puissant et riche, avec lequel les plus grandes puissances du monde feraient alliance.

Bama-Li ferait une reine magnifique... Beaucoup plus belle que Mme de Maintenon ! Il aurait une plus belle femme que le roi de France !

Il sourit, et la minute d'après, s'affola :

« Et si elle l'avait oublié et s'était mariée ? Et si elle avait été vendue à quelqu'un d'autre ? Elle était peut-être à présent dans une autre région de France. Et si Banga, en regagnant l'Assinie, était venu la lui voler pour en faire son épouse ? »

Il était rongé par l'anxiété et le doute lorsqu'on frappa à sa porte. Il toussota pour s'affermir la voix, se leva du fauteuil où il s'était effondré pour ressasser ses sombres pensées et tapota les manches de batiste de sa chemise pour les défroisser. Inutile que son valet s'aperçoive de son désarroi.

— Entrez ! ordonna-t-il.

La porte s'ouvrit et elle parut : encore plus belle que dans ses souvenirs.

— Bama-Li, souffla-t-il.

— Monseigneur, répondit-elle en s'inclinant dans une profonde révérence.

Leroux avait dû lui faire la leçon en lui expliquant que son maître était l'ami du roi de France et qu'il serait bientôt roi d'Assinie.

— Relevez-vous, je vous en prie.

Elle était vêtue d'une jupe de futaine grise, d'une camisole et d'un tablier blanc. Un petit bonnet de lin enfermait ses cheveux courts et crépus. Elle se tenait bien droite, les mains le long du corps, habituée à recevoir des ordres.

Aniaba, qui savait s'adresser aux princes, ducs, marquis, et même au roi, ne trouvait plus ses mots.

— Êtes-vous... êtes-vous heureuse ? demanda-t-il.

En fait, il voulait savoir si elle était mariée, si elle avait des enfants et si cette situation lui convenait. Auquel cas, il ne lui aurait pas avoué ses sentiments.

— Mes maîtres ne sont point méchants et je mange à ma faim.

— À la bonne heure !

Il comprenait qu'elle était toujours seule. Alors, incapable de tourner une belle phrase et pressé de connaître sa décision, il jeta :

— Voulez-vous m'épouser ?

Elle se troubla. Ses mains tremblèrent. Des larmes perlèrent à ses paupières et elle bredouilla :

— Vous voulez m'épouser... moi ?

— Eh bien, je ne vois personne d'autre dans cette pièce, plaisanta-t-il pour tenter de lui rendre son calme.

— Mais... je ne suis pas princesse... je ne suis... rien...

Il s'avança, lui prit les mains, qu'il serra tendrement, et ajouta :

— Bama-Li, je vous aime, depuis le jour où je vous ai vue.

— Mais...

— Je sais. Je vous ai lâchement abandonnée à votre triste sort et je vous en demande pardon. Rien ni personne ne devait entraver ma mission. À présent que je suis en passe de l'accomplir, j'ai besoin d'une femme aimante à mon côté. Voulez-vous bien être cette femme ?

Cette fois, elle fondit en larmes et, se blottissant dans ses bras, elle répondit :

— Je vous aime tant, moi aussi !

Quelques jours plus tard, le prince Louis Aniaba et sa future épouse, Bama-Li, tous deux richement vêtus, montèrent sur *Le Poli* à destination de l'Assinie. Les membres d'équipage leur firent une haie d'honneur en criant force vivats et en lançant leur bonnet ou leur chapeau en l'air.

Il regretta que Gabriel et Adélaïde ne soient pas là pour leur dire adieu. Non, pas adieu, au revoir seulement. Il espérait bien, après avoir repris le pouvoir, revenir en France et être reçu en roi. Alors il offrirait une fête somptueuse afin de célébrer son union avec Bama-Li et celle de Gabriel et Adélaïde.

# L'auteur

En un quart de siècle, Anne-Marie Desplat-Duc
a publié une quarantaine de romans dont beaucoup
ont été primés. Rien de surprenant quand on sait
que sa passion est l'écriture et qu'elle y consacre
tout son temps. Comme elle aime les enfants,
c'est pour eux qu'elle écrit des histoires qui finissent
bien. Vous pouvez toutes les découvrir sur son site
Internet : **http://a.desplatduc.free.fr**

## CHEZ FLAMMARION, ELLE A DÉJÀ PUBLIÉ :

- **En grand format :**
*L'enfance du Soleil*

### La série « Les Colombes du Roi-Soleil »

*Les Comédiennes de Monsieur Racine*
*Le secret de Louise*
*Charlotte la rebelle*
*La Promesse d'Hortense*
*Le Rêve d'Isabeau*
*Éléonore et l'alchimiste*
*Un corsaire nommé Henriette*
*Gertrude et le nouveau monde*
*Olympe Comédienne*
*Jeanne, parfumeur du roi*
*Victoire et la princesse de Savoie*

### La série « Marie-Anne, fille du Roi » :

*Premier bal à Versailles*
*Un traître à Versailles*

*Le secret de la lavandière*
*Une mystérieuse reine de Pologne*
*La malédiction du diamant bleu*

- **Dans la collection « Premiers romans » :**
  **« Les héros du 18 »**
  1. *Un mystérieux incendiaire*
  2. *Prisonniers des flammes*
  3. *Déluge sur la ville*
  4. *Les chiens en mission*
  5. *Urgences en série*

- **Dans la collection « Castor Poche » :**
  *Le Trésor de Mazan*
  *Félix Têtedeveau*
  *Une formule magicatastrophique*

- **Dans la collection « Flammarion Jeunesse » :**
  *Un héros pas comme les autres*
  *Ton amie pour la vie*
  *L'enfance du Soleil*
  *Les lumières du théâtre*

Vous pouvez également découvrir le site :
http://www. lescolombesduroisoleil.com/

Dépôt légal : mars 2014
N° d'édition : L.01EJEN001114.N001
Loi n° 49-956 du 16 juillet 1949
sur les publications destinées à la jeunesse